Guía de Recuperación de Codependencia y Abuso Narcisista

¡Cura tu trastorno de personalidad codependiente y narcisista y tus relaciones! ¡Siga el último manual del usuario para curar el narcisismo y la codependencia AHORA!

Por Marcos Romero

Guía de Recuperación de Codependencia y Abuso Narcisista: ¡Cura tu trastorno de personalidad codependiente y narcisista y tus relaciones! ¡Siga el último manual del usuario para curar el narcisismo y la codependencia AHORA!" "Por Marcos Romero".

Guía de Recuperación de Codependencia y Abuso Narcisista es un conjunto de libros "Guía de recuperación de la codependencia " Y "Guía de sanación del abuso narcisista".

¡Espero que lo disfrutes!

Guía de recuperación de la codependencia

Sana tu personalidad y relaciones codependientes con este manual de usuario para no más codependencia, cúrate de la gente narcisista y sociópata aprendiendo a retomar el control

Por Marcos Romero

Tabla de contenido

Tabla de contenido

Introducción

Capítulo 1 - ¿Eres codependiente?
   Los rasgos de la codependencia
   Cómo se desarrolla la codependencia
   Pruebas de codependencia

Capítulo 2 - Revisitando tu pasado
   Familias disfuncionales
   Adicción
   Enfermedades

Capítulo 3 - El proceso de recuperación
   Establecer límites
   Ponerse primero
   Escucha a otros
   Validación

Capítulo 4 - Romper los patrones
   Negación
   Baja autoestima
   Conformidad
   Control
   Evasión
   Recordatorios de recuperación

Conclusión

Introducción

Felicitaciones por comprar la Guía de recuperación de la codependencia y gracias por hacerlo.

Los siguientes capítulos analizarán los diferentes enfoques para recuperarse de una relación codependiente y las mejores formas de reconstruir su vida una vez más. Hay muchos ejemplos prácticos que se pueden seguir para ayudar a un individuo a recuperarse de una mala relación o reconstruir su amor existente.

Hay muchos libros sobre este tema en el mercado, ¡gracias de nuevo por elegir este! Se hicieron todos los esfuerzos posibles para asegurar que está lleno de información útil tanto como sea posible, por favor, disfruta de ella !

Capítulo 1 - ¿Eres codependiente?

La codependencia es una relación disfuncional en la que un individuo depende del otro para sus necesidades emocionales y emocionales. Asimismo, retrata una relación que permite a otra persona mantener su conducta perturbadora, adictiva o de bajo rendimiento.

¿Te sientes atrapado en tu relación? ¿Es correcto decir que siempre eres el que hace sacrificios en tu relación? En este punto, puedes estar en una relación codependiente.

El término codependencia ha existido por un período considerable de tiempo. A pesar del hecho de que se aplicó inicialmente a parejas de bebedores empedernidos (primeramente llamados co-borrachos), los especialistas descubrieron que las características de los codependientes eran considerablemente más evidentes que en otro tipo de comunidades que recientemente se había explorado. A decir verdad, descubrieron que si te criaron en una familia disfuncional o tuviste un padre abusador, también podrías ser codependiente.

Los especialistas también descubrieron que los efectos secundarios codependientes se deterioraban si no se trataban. Afortunadamente, son reversibles.

Manifestaciones de codependencia

El siguiente es un resumen de las indicaciones de codependencia y estar en una relación codependiente. No los necesitas todos para calificar como codependiente.

Correspondencia disfuncional. Los codependientes experimentan dificultades en lo que respecta a comunicar sus pensamientos, emociones, y nececidades. Obviamente, si no tienes ni idea de lo que piensas, sientes, o necesitas, esto se convierte en un problema. Tienes dudas en decir la verdad, con el argumento de que preferirías no molestar a otra persona. La comunicación termina siendo poco confiable y confusa cuando intentas controlar al otro individuo por temor.

Límites inadecuados. Los límites son una especie de línea inexistente entre tú y los demás. Divide lo que es tuyo y de otra persona, y que no se aplica exclusivamente a tu cuerpo, dinero y posesiones, sino también a tus emociones, opiniones, y necesidades. Eso es particularmente difícil para los codependientes. Tienen límites borrosos o frágiles. Se sienten a cargo de las emociones y problemas de otras personas o culpan a otra persona. Algunos codependientes tienen límites inflexibles. Son amilanados y aislados, lo que dificulta que otras personas se acerquen a ellos. Algunas veces, las personas cambian de un lado a otro entre tener límites débiles y tener límites inflexibles.

Rechazo. Uno de los problemas que enfrentan las personas para obtener ayuda para la codependencia es que intentan alegar ignorancia al respecto, lo que implica que no enfrentan su preocupación. Por lo general, piensan que el problema es otra persona o la circunstancia. O bien siguen quejándose o tratando de arreglar la otra persona o se mueven entre diferentes relaciones s o puestos de trabajo y nunca descubren que tienen un problema. Los codependientes también niegan sus sentimientos y necesidades. Con frecuencia, no tienen la menor idea de lo que sienten y están más bien centrados en lo que sienten los demás. Algo muy similar va para sus necesidades. Se centran en las necesidades de otros individuos y no en las suyas. Pueden estar tratando de alegar ignorancia de sus necesidades de espacio e independencia. Aunque algunos codependientes parecen no tener dinero, otros actúan como si fueran independientes con respecto a la necesidad de ayuda. No se conectarán y experimentarán dificultades para llamar la atención. Son deliberadamente ignorantes de su impotencia y exigencia de adoración y cercanía.

Reactividad. Un resultado de límites insuficientes es que respondes a las perspectivas y emociones de todos. Si alguien dice algo que no puedes evitar contradecir, confías en él o te vuelves protector. Tú ingieres sus palabras, alegando que no hay límite. Con un límite, tú entiendes que era sólo su evaluación y no una impresión de ti y no sentirse comprometida por desacuerdos.

Cuidado. Otro impacto de los límites deficientes es que si otra persona tiene un problema, debes presionarlos hasta el punto de entregarte. Es normal sentir compasión hacia alguien, sin embargo, los codependientes comienzan a poner a otros individuos frente a ellos. De hecho, tienen que ayudar y pueden sentirse rechazados si alguien más no necesita ayuda. Además, continúan intentando ayudar y reparar al otro individuo, a pesar de que ese individuo no está tomando su recomendación inequívocamente.

Baja confianza Sentir que eres lo suficientemente malo o compararte con los demás son indicios de poca confianza. Lo dudoso de la confianza es que algunas personas tienen una opinión favorable de sí mismas, sin embargo, es solo una máscara: realmente no se sienten merecedores de amor o carentes de cualidades. Debajo de esa máscara, hay sentimientos de desdicha generalmente ignorados. La culpa y el los pequeños detalles regularmente requieren poca confianza. Si todo está impecable, no te sientes mal contigo mismo.

Control. El control ayuda a los codependientes a tener una sensación de seguridad. Todo el mundo necesita algo de autoridad sobre algunas ocasiones en su vida. No desearías vivir en una vulnerabilidad y un desorden constantes; sin embargo, para los codependientes, el control restringe su capacidad de andar por las ramas y expresar sus sentimientos. Parte del tiempo, tienen una adicción que, o bien, los lleva a emerger, similar al abuso de licor, o los alienta a mantener sus emociones bajo control, similar a la adicción al trabajo, con el objetivo de no mostrarlos. Los codependientes también necesitan controlar a quienes están cerca de ellos, ya que necesitan que otras personas continúen con un objetivo particular en mente para sentirse bien. Es posible tener programas que ayuden a las personas a comprender cómo controlarse. Por otra parte, los codependientes son mandones y te revelan lo que debes o no debes hacer. Esto es una infracción del límite de otra persona.

Sentimientos difíciles La codependencia ejerce presión y provoca sentimientos lastimosos. La desgracia y la baja confianza producen intranquilidad y temor de ser juzgado, despedidos, cometer errores, siendo una decepción, y sentirse atrapado por estar cerca o estar separado de todos los demás. Los diferentes efectos secundarios conducen a sentimientos de indignación y desdén, desánimo, miseria y desesperanza. En el momento en que las emociones son excesivas, puedes sentirte entumecido.

Satisfacer a los demás. Está bien tener que satisfacer a alguien que te importa, sin embargo, los codependientes generalmente no creen que tengan una opción. Decir "No" les causa inquietud. Algunos codependientes experimentan serias dificultades para decir "No" a nadie. Hacen un esfuerzo especial y sacrifican sus propias necesidades para adaptarse a otras personas.

Sometimiento. Los codependientes necesitan a otros individuos para que les guste sentirse bien consigo mismos. Sienten ansiedad por ser rechazados o abandonados, independientemente de si pueden trabajar individualmente. Hay personas que constantemente necesitan la aprobación de los demás, incluso cuando es mejor pensar por sí mismos. Esta cualidad hace que les sea difícil cortar una asociación, incluso cuando una relación no les está funcionando.

Problemas con la cercanía. Por esto, se entienden los problemas asociados con la intimidad con tu pareja. Estoy buscando ser abierto y cercano con alguien en una relación privada. Como resultado de sentir miedo, puedes esperar que te juzguen, rechacen o abandonen. Algunas personas sienten que sus parejas son mucho más sofisticadas que ellas y, a su vez, temen compartir sus vidas con ellos. Este es un problema grave que puede persistir durante mucho tiempo en una relación y causar daños inesperados.

Hay ayuda para la recuperación y el cambio para las personas que son codependientes. El primer paso es obtener consejos de un amigo cercano o un familiar y comenzar el proceso. Es mejor hacerlo de inmediato que esperar.

Los rasgos de la codependencia

Piensa en la codependencia, cuando dos individuos con características disfuncionales se vuelven más terribles juntos. El enredo ocurre cuando los límites claros sobre dónde comienzas y dónde termina tu pareja no se especifican claramente.

Piensa en la pareja más abatida que hayas conocido en algún momento. (Idealmente, no eres parte de este par). Puedes preguntar por qué estas personas todavía están unidas. Los adultos son miembros dispuestos en las organizaciones. Además, por desafortunadas que sean las relaciones, puede haber ganancias para las dos grupos. Los propósitos básicos de permanecer juntos incluyen a jóvenes, cuentas, tiempo contribuido y temor a la desgracia que puede acompañar a la separación. Sin embargo, el mayor problema es la convicción de que una o las dos personas aceptan que tienen derecho a ser abusadas.

Indicaciones de codependencia

La definicion habitual de codependencia se ha concentrado en el control, el apoyo y el mantenimiento de asociaciones con personas que son artificialmente dependientes o que participan en prácticas desafortunadas, por ejemplo, el narcisismo. Un modelo ejemplar de codependencia es un cónyuge alcohólico y su esposa empoderadora.

Los científicos sostienen que las personas codependientes comparten el deber con respecto a la conducta infortunada, principalmente al concentrar sus vidas en la conducta devastada o terrible y al hacer que su propia confianza y prosperidad dependan de la conducta del pariente indeseable.

Diferentes científicos adivinaron que el compañero práctico (o sano) apoya al compañero angustiado cuando el individuo participa en una conducta no deseada. Esta conducta es en definitiva maravillosa para la pareja en problemas, que sirve para fortalecerla. Se cree que el socio que controla la mayoría de las recompensas (que fabrica su base de capacidad) es el extraordinario, mientras que el otro está agradecido con la persona en cuestión. En cualquier punto donde haya una lucha progresiva, hay una comprensión básica. Como tal, se necesitan dos para bailar el tango, y la pareja necesitada o servil puede no ser tan impotente, distante o inocente como aparecen.

Las consultas adjuntas pueden completarse como un manual para decidir si tu relación incluye codependencia:

- ¿Difundes los problemas de tu pareja con medicamentos, licor o la ley?
- ¿Tus sentimientos de conducta incluyen hacer sacrificios escandalosos para satisfacer las necesidades de tu pareja?
- ¿Te quedas en silencio para mantener una distancia estratégica en las peleas?
- ¿Te estresas continuamente por las evaluaciones que otros hacen de ti?
- ¿Te sientes atrapado en tu relación?
- ¿Es difícil decir que no cuando tu pareja hace demandas sobre tu tiempo y vida?

El desarrollo de la codependencia

Durante el parto, estamos característicamente indefensos y totalmente sujetos a nuestros guardianes para la alimentación, segouridad y pautas de vida. La conexión de un niño recién nacido y vínculo con al menos una figura parental es básica para la supervivencia física y anímica. Esta conexión básica hace que el recién nacido dependa de las necesidades y vulnerabilidades de la figura parental.

Crecer con un padre problemático o inaccesible significa asumir el trabajo de supervisor y, además, de agente potenciador. Un joven, en esta circunstancia, antepone las necesidades de los padres. Las familias disfuncionales no reconocen que existen problemas. En consecuencia, sus individuos sofocan los sentimientos y desatienden sus propios necesidades para concentrarse en del padre(s) inaccesible(s). En el momento en que el joven "parentificado" se convierte en adulto, el individuo en cuestión reafirma una dinámica similar en sus vínculos con adultos.

El menosprecio surge cuando no percibes tus propios deseos y necesidades. Una inclinación de conducta típica es explotar o atacar cuando tu pareja te lo permite. No contar con un lugar de control interior significa buscar manantiales exteriores de aprobación y control. Puedes intentar controlar las prácticas de tu pareja para sentirte bien. Puedes actuar de forma arrogante y mandona, y hacer demandas irracionales a tu pareja. Además, cuando comprendes que no puedes controlar sus disposiciones o actividades, te desilusionas y puedes caer en un estado de abatimiento.

Suele ser difícil reconocer a un individuo que es codependiente y que simplemente es tenaz o está fascinado con alguien más. Sea como fuere, un individuo que es codependiente típicamente:

- Permanecerá en la relación independientemente de si saben que su pareja hace cosas destructivas.

- No hallará satisfacción o alegría en la vida salvo en hacer las cosas por el otro individuo.

- Utilizará todo su tiempo y vitalidad para darle a su pareja todo lo que piden.

- Pasarán por alto su propia ética o voz interior para hacer lo que el otro individuo necesita.

- Sentirán un nerviosismo constante acerca de su relación debido a su anhelo de ser consistentemente satisfactorio para el otro individuo.

- Hará cualquier cosa para complacer y cumplir con su agente de empoderamiento independientemente del costo para ellos.

- Otros individuos pueden intentar conversar con los codependientes sobre sus preocupaciones. En cualquier caso, independientemente de si otros proponen que el individuo es excesivamente necesitado, un individuo en una relación codependiente pensará que es difícil abandonar la relación.

- Se sentirá arrepentido de considerarse a sí mismos en la relación y no expresar ninguna necesidad o deseo.

- El individuo codependiente sentirá un choque extraordinario sobre aislarse del agente de empoderamiento con el argumento de que su propio carácter está enfocado después de sacrificarse por el otro individuo.

Cómo se desarrolla la codependencia

La codependencia es algo que se puede transmitir de una generación a otra. Es una condición pasional y de conducta que influye en la capacidad de una persona para tener una relación sólida y comúnmente satisfactoria. De lo contrario, se denomina "adicción a las relaciones", ya que las personas con codependencia frecuentemente estructuran o mantienen relaciones que son desiguales, sinceramente perjudiciales y perniciosas. El desorden se identificó por primera vez alrededor de diez años atrás como el efecto de largos períodos de considerar vínculos relacionales en grupos de bebedores. La conducta mutuamente dependiente se descubre al observar y hacerse pasar por otros familiares que muestran este tipo de conducta.

¿A quién afecta la codependencia?

La codependencia con frecuencia influye en un compañero de vida, un padre, un pariente, un compañero o un colaborador de una persona acosada por la dependencia del alcohol o la medicación. Inicialmente, mutuamente dependiente era un término utilizado para representar a los compañeros en la dependencia a la bebida, las personas que viven con, o en asociación con un individuo adicto. Se han encontrado ejemplos comparativos en personas involucradas con personas enfermas crónicas o racionales. Hoy, sea como fuere, el término se ha expandido para representar a cualquier individuo mutuamente dependiente de cualquier familia disfuncional.

¿Qué es una familia disfuncional y Cómo lleva a la co-dependencia?

Una familia disfuncional es aquella en la que las personas experimentan los efectos nocivos del temor, la indignación, el tormento o la desgracia que se pasa por alto o se niega. Asuntos básicos pueden incorporarse a cualquiera de los siguientes:

- Una adicción de un pariente a las drogas, licor, relaciones, trabajo, alimentación, sexo o apuestas.

- La presencia de abuso físico, pasional o sexual.

- La cercanía de un familiar que experimenta una enfermedad mental o física constante.

Las familias disfuncionales no reconocen que existen problemas. Ellos no los discuten o los desafían. Por lo tanto, los familiares descubren cómo frenar los sentimientos y descartar sus propias necesidades. Se convierten en "sobrevivientes". Crean prácticas que les ayudan a negar, ignorar o mantener una distancia estratégica de los sentimientos difíciles. Se separan ellos mismos. Ellos no hablan. Ellos no contactan. Ellos no se enfrentan. Ellos no sienten. Ellos no confían. El carácter y la mejora emocional de los individuos de una familia disfuncional son reprimidos regularmente.

La consideración y la vitalidad se centran en el pariente enfermo o adicto. El individuo mutuamente dependiente normalmente sacrifica sus necesidades para tratar con un individuo que está destruido. Hasta el punto en que la gente mutuamente dependientes colocan el bienestar, salud , y seguridad de otros individuos antes que la suya propia, y pueden perder el contacto con sus propias necesidades, deseos y sentimientos.

¿Cómo se comporta la gente Co-dependiente?

Las personas mutuamente dependientes tienen poca confianza y buscan cualquier cosa fuera de sí mismas para sentirse bien. Ellos piensan que es difícil "actuar con naturalidad." Algunos intentan sentirse mejor a través de licores, medicamentos, o la nicotina - y se convierten en adictos. Otros pueden crear prácticas habituales como la adicción al trabajo, las apuestas o las relaciones sexuales sin sentido.

Tienen buenas intenciones. Intentan lidiar con un individuo que se encuentra con dificultades, pero el cuidado termina siendo intrigante. Las personas mutuamente dependientes asumen regularmente el trabajo de un santo y se convierten en "partidarios" de una persona que no tiene suerte. Una esposa puede cubrir a su cónyuge alcohólico; una madre puede racionalizar un chiquillo faltante; o un padre puede "tirar algunas cuerdas" para proteger a su hijo de soportar los resultados de una conducta reprobable.

El problema es que estos esfuerzos de salvación renovados le permiten al individuo sin dinero seguir un curso peligroso y resultar cada vez más sujeto a la indeseable atención del "partidario". A medida que esta dependencia aumenta, la dependencia mutua genera un sentimiento de remuneración y satisfacción de "ser requerido". Cuando el cuidado termina siendo urgente, el mutuamente dependiente siente que no tiene opción y es el vulnerable en la relación, sin embargo , no puede separarse del ciclo de conducta que lo causa. Las personas mutuamente dependientes se ven a sí mismas como personas explotadas y se ven arrastradas a esa deficiencia equivalente en las relaciones de afecto y compañerismo.

Cualidades de la gente co-dependiente son:

- Un sentimiento de culpa al defenderse
- Mentira / inescrupulosidad
- Dificultad para decidir
- Una inclinación a confundir el amor y la piedad, con la propensión a "amar" a las personas que pueden compadecer y salvar
- Una desafortunada dependencia de las relaciones. El mutuamente dependiente efectivamente entrará en una relación; para mantener una distancia estratégica del sentimiento de rendición
- Problemas con la cercanía / límites
- Una necesidad escandalosa de endoso y reconocimiento
- Una necesidad convincente de controlar a los demás.
- Ausencia de confianza en uno mismo y en los demás.

- Un conocimiento mal representado de las expectativas de los demás para las actividades de los demás.
- Miedo de ser abandonado o estar solo
- Dificultad para identificar sentimientos
- Una inclinación a terminar herido cuando los individuos no perciben sus esfuerzos
- Naturaleza inquebrantable / dificultad para adaptarse al cambio
- Molestia incesante
- Una propensión a lograr más de lo que ofrecen, constantemente
- Correspondencias pobres

¿Cómo se trata la codependencia?

Dado que la codependencia generalmente se establece en la adolescencia de un individuo, el tratamiento incluye regularmente una investigación sobre los problemas de la juventud temprana y su relación con los estándares de conducta personal dañinos actuales. El tratamiento incorpora instrucción, reuniones experienciales y tratamiento individual y de recolección a través del cual las personas mutuamente dependientes se redescubren e identifican estándares de conducta imprudentes. Asimismo, el tratamiento se centra en ayudar a los pacientes a conectarse con los sentimientos que se han cubierto durante la adolescencia y en reproducir peculiaridades relacionales. El objetivo es permitirles encontrarse con todo su gama de sentimientos una vez más.

La fase inicial en el cambio de conducta indeseable es conseguirlo. Es importante que las personas mutuamente dependientes y sus familiares se enseñen a sí mismos sobre el curso y el ciclo de la adicción y cómo se extiende a sus relaciones. Bibliotecas, medicamentos, y énfasis en el tratamiento para el abuso del licor y el énfasis en el bienestar psicológico ofrecen con frecuencia materiales instructivos y proyectos a la gente en general.

Una gran cantidad de progreso y desarrollo es esencial para los mutuamente dependientes y su familia. Cualquier conducta de cuidado que permita o autorice el abuso para proceder en la familia debe ser percibida y detenida. Los mutuamente dependientes deben identificar y comprender sus sentimientos y necesidades. Esto puede incorporar el descubrir cómo decir "no", de manera amorosa pero asertiva, descubrir cómo actuar naturalmente dependiente. Las personas descubren la oportunidad, el amor y la tranquilidad en su recuperación.

La expectativa radica en descubrir más. Mientras más comprenda la codependencia, mejor podrá adaptarse a sus pertenencias. Relacionarse por información y ayuda puede permitirle continuar a alguien con una vida más satisfactoria y más beneficiosa.

Pruebas de codependencia

La codependencia puede significar cosas algo diferentes para diferentes individuos, pero básicamente, es el punto en el que un individuo está sacrificando más por su relación que el otro.

En las relaciones sentimentales, es el punto en el que un miembro de la pareja necesita consideración y ayuda mental excesiva, y con frecuencia esto se agrega a que estos tengan una enfermedad o una adicción que los hace considerablemente más dependientes.

Una pareja codependiente no será beneficiosa para ninguno de los dos. En su mayor parte, se reunirán a la luz del hecho de que cualquiera de ellos tiene un carácter disfuncional y, por regla general, se agravarán mutuamente.

Por ejemplo, las personas emparejadas con narcisistas terminarán dando y dando, pero rara vez es suficiente. Su compañero continuará moviendo los límites y haciendo peticiones irrazonables hasta que la desafortunada víctima esté totalmente agotada.

Es imperativo recordar que en una relación sana, se espera que dependa completamente de su pareja para obtener consuelo y respaldo. Sea como fuere, hay una armonía entre la capacidad de cada compañero sea autónomo y su capacidad de apreciar eñ apoyo común, y si esa paridad no está equilibrada, es cuando las cosas se confunden.

Nos acercamos a diferentes especialistas en relaciones para conocer los signos de que podría estar en una relación codependiente. Esto es lo que dijeron:

1. Necesitas 'arreglar' a tu pareja

Todo comienza como una fantasía, pero tu nueva pareja comienza a dar algunas indicaciones de prácticas indeseables. ¿Terminas haciendo cada uno de los sacrificios para ayudar a tu pareja? ¿Sueles perderte y necesitas el respaldo de tu pareja para estar completo? Las relaciones sanas se hacen cuando los dos miembros de la pareja comparten aprecio, confianza y son constantemente justos entre sí. Las personas codependientes , en general, serán personas complacientes, surgiendo de ayudar a otras personas (o a pesar de pensar que pueden 'arreglarlos'). Cuando pensar en otra persona te impide satisfacer tus propias necesidades o si tu autoestima depende de que te necesiten, puedes estar en la ruta hacia la forma codependiente.

2. Tienes que pedir aprobación

Si crees que necesitas regularmente aprobación o autorización para hacer una vida ordinaria fundamental, o si crees que no puedes conformarte con una elección básica sin ese individuo, eso podría ser una indicación temprana de una relación codependiente. Si entras en una relación con cúmulos de certezas sin embargo, después de algún tiempo, empiezas a cuestionarte a ti mismo, tu autoestima, y eres menos definitivo, tú podrías estar en una relación codependiente narcisista dañina. Si tú te has visto limitado por tu pareja o porque te piden ser el líder esencial en la relación, en ese momento cuando se separan, incluso podrías aceptar ahora y sentir que los necesitas.

Puede ser difícil aislarte racionalmente de esa perspectiva o incluso de la rutina de la relación, sin embargo, cuando puedes reparar y mejorar el amor propio, puedes comenzar a concentrarte más en tus necesidades y ser una versión superior de ti mismo.

3. Pierdes el contacto con compañeros o familiares

Creo que cuando comienzas a perder el contacto con las personas que son imprescindibles para ti, es una señal de que algo no está exactamente bien. Empiezas a ver que tu centro esencial es el otro individuo, pero hasta el punto en que realmente estás quedando con un grupo muy limitado de personas que ya eran importantes. Dicho esto, creo que es completamente normal cuando las personas comienzan a mirar con los ojos estrellados, para que cualquier otra persona se sienta fuera de lugar. En cualquier caso, cuando continúa durante algún tiempo, es una señal notable de que te estás liberando de los problemas en tu vida que te mantienen constante y te mantienen en la pista en la que has estado.

Creo que deberíamos ser extremadamente conscientes de eso debido a que, de lo contrario, nos volveremos codependientes cada vez más de nuestras parejas, en ese momento, si eliges que no son beneficiosos para ti, miras a tu alrededor y no hay compañeros ni actividades de ocio, y el mundo se ha convertido en esta pareja que has elegido actualmente no está bien. En cualquier caso, al abandonar en este momento a esa pareja, estás sacrificando la relación, así como la vida, ya que no tienes nada más.

4. Estás continuamente buscando consuelo

¿Cómo sabrías si tu relación es codependiente? Hazte estas preguntas:

• ¿Ambos racionalizan conductas horribles o maleducadas en los demás, o mantener una distancia estratégica de las discusiones directas sobre el estado de la relación?

• ¿Tú o su pareja se caracterizan a sí mismos por la relación? ¿Experimentas problemas al estar separado de todos los demás?

• ¿Estás tú o tu pareja constantemente estresado sobre que el otro cortará la relación?

• ¿Tú o tu pareja coquetean con personas ajenas a la relación para hacer que el otro se encele, o toman medidas para irse y asegurarse de que se le puede pedir que te quedes?

- ¿Ambos necesitan una confirmación constante de que son apreciados?

- ¿Hay mucha tensión o poder en tu relación, y ambos aprecian sutilmente el 'espectáculo' de sucesivas separaciones y reconciliaciones?

- ¿Tú o tu pareja piensan en pequeñas pruebas para obtener la consideración del otro?

5. Pierdes todos tus límites

Un método para distinguir a un individuo codependiente es si ella es una proveedora excesiva. Generalmente se siente en exceso a cargo de alguien o piensa en alguien. Realmente siente que necesita continuar dando y dando, y sobre-compensando. Estas mujeres pueden ser extremadamente sólidas, pero el problema es que no manejan el requerimiento de los límiotes. Los límites son completamente útiles para las personas que le importan, pero en el corazón de una persona codependiente, "límites" es una palabra sucia. Piensan que 'en el momento en que me preocupo por ti, elimino todos mis límites. Dejo que me ignores, ya que confío en que tienes una historia, por lo que aclaro demasiado cada cosa para ti. Como tal, le das más confianza a su historia que a la tuya. Debes tener límites firmes, ya que cuando no los tienes, o no los tienes en cuenta, caes en la trampa codependiente.

6. Tú no siente que tiene su propia vida libre

En cualquier relación, es imprescindible establecer un vínculo con tu pareja, pero además, mantener tu propia vida. Preferirías no depender tanto de otra persona que pierda su identidad o esa sustancia que te hace extraordinario. ¿Cómo mantendrás los dos lados de ti mismo? Programa citas nocturnas y tardes con amigos o solo para relajarte. En el inicio de una relación, no es innegable valor en no estar constantemente juntos y permitirse extrañarse entre sí. Además, cuando tú estás haciendo cosas solo, te conviertes en un individuo más intrigante y equilibrado. De esta manera, una pareja superior para cualquiera.

7. Empiezas a llenar los agujeros

La principal indicación de codependencia que se arrastra a una relación incluirá a un individuo que comienza a asumir la responsabilidad de permanecer en contacto e inteactuar. A medida que una pareja retrocede en cuanto a la cantidad de tiempo, esfuerzo y cuidado que está brindando, el otro compañero llena el agujero intuitivamente trabajando más duro para mantenerse fortalecido. Cuando esto ocurre, la relación ha cambiado de forma indeseable hacia la codependencia.

8. Tu pareja tiene propensiones desafortunadas.

Una indicación temprana de una relación codependiente (utilizando el significado principal de un "agente de empoderamiento") es el punto en el que un individuo más de una vez participa en una conducta desafortunada, por ejemplo, beber de manera constante hasta que salgan o comer hasta se siente derrotado, y el otro individuo los acompaña, a pesar del hecho de que el individuo realmente prefiere no beber o comer vorazmente, o los apoya por sus propios motivos.

Si respondiste 'Sí' incluso a un par de estas puntos, es probable que tengas una relación codependiente.

Capítulo 2 - Revisitando tu pasado

Familias disfuncionales

La expresión "familia disfuncional", cuando se utiliza claramente por los expertos, ha resultado ser un vocablo predominante en Estados Unidos, donde las familias disfuncionales son el estándar debido a las cualidades sociales, una velocidad de separación de alta y adicciones amplias – por medicamentos prescritos por médicos para ejercitar, trabajar y e ir de compras.

Una familia sana es un lugar de refugio, una posición de apoyo y sustento, que tiene un comportamiento de receptividad, inmediatez y vivacidad, y toma en consideración la oportunidad de articulación. Puede haber contenciones y articulaciones poco frecuentes de molestia, pero la armonía regresa y las personas se sienten apreciadas y consideradas. Funciona fácilmente como una organización bien administrada. Los funcionarios -los guardianes - elaboran y coinciden con principios que son confiables y sensatos.

Jack Welch, el anterior CEO de General Electric, cambió una organización que tenía una actitud centrada en lo interno, cerrada, una administración inepta y trabajadores poco comunicativos. Él entendió la importancia de hacer que cada representante se sintiera como un miembro estimado cuya voz marcaba la diferencia y se enorgullecía de tener una estrategia de "entrada abierta" que apoyaba la oportunidad de articulación. Welch democratizó la organización, dando a muchos trabajadores oportunidades estándar para desafiar a sus gerentes y ofrecer sus ideas en liderazgo básico. Este estilo de fortalecimiento surgió en la ejecución inundada y el cumplimiento representativo. Se sentían parte de un grupo y su voz marcaba la diferencia. Despreciaba el misterio y la negativa, y necesitaba que los problemas se confrontaran y desentrañaran.

Necesitaba representantes que fueran intelectuales libres y sinceros sobre sus pensamientos y convicciones, a pesar de ser incómodo - cuando "pudiera doler". Los empleados recibieron información directa, positiva y negativa, y así evaluaron a sus gerentes. Él resolvió las discusiones y el entrenamiento del pensamiento crítico. GE era un modelo de un marco abierto por todas partes. Buscó nuevos pensamientos en todo el mundo de diferentes organizaciones y compartió el aprendizaje que aprendió, lo que impulsó a sus proveedores.

Obviamente, una familia no tiene la capacidad de impulsar la generación y el beneficio, sin embargo, puede observar de inmediato que los pensamientos de transparencia, correspondencia directa y populismo de Welch aumentan la confianza de los trabajadores, lo que ocurre en familias sólidas. En las familias disfuncionales, los individuos tienen menos confianza y, en general, serán codependientes. A continuación se muestra una parte de los efectos secundarios, aunque no todos son importantes para crear rupturas.

1. No convencionalismos. Las personas tienen una sensación de seguridad cuando la vida familiar no está llena de sorpresas. Si los niños nunca reconocen en qué estado mental estarán mamá o papá, no pueden estar sin restricciones y están constantemente nerviosos. Mucho más atroz es el caos, donde la familia se encuentra en una emergencia constante, con frecuencia debido a adicciones, enfermedades psicológicas o abuso sexual, físico o psicológico. En lugar de un espacio de refugio, la familia se convierte en un área de combate para escaparse. Los niños pueden crear quejas sustanciales, similares a dolores de cabeza y dolores de estómago.

2. Afirmación e inconsistencia. Lo que es más lamentable que los estándares inflexibles son pautas auto-afirmativas y conflictivas. Los niños nunca saben cuándo serán rechazados. Las normas que no se pueden cumplir son injustas. Esto es despiadado

y genera impotencia aprendida y ferocidad que nunca se puede comunicar. Los jóvenes están en constante temor, pisotean ligeramente y se sienten miserables y enojados por el capricho y la injusticia. Su sentimiento de valía y nobleza no se tiene en cuenta. Pierden respeto y confianza en sus amigos y especialistas en general. Como se ven obligados a dar su consentimiento, algunos continúan con conductas desafiantes o reprobadas, al salir mal en la escuela o al usar drogas.

3. Perspectivas privilegiadas. Algunos años de información privilegiada se guardan durante siglos sobre una desgracia familiar, independientemente de si la adicción, el salvajismo, el crimen, los problemas sexuales o la inestabilidad psicológica. Los jóvenes sienten la desgracia, a pesar de que no tienen idea del problema.

4. Impotencia para resolver problemas. Resolver problemas y conflictos es vital para una relación sin problemas. Sea como fuere, en familias disfuncionales, los jóvenes y los tutores son acusados más de una vez de algo muy similar y hay peleas constantes o divisores silenciosos de odio. Nada se arregla.

Por el contrario, las familias sólidas están protegidas a la luz del hecho de que la auto-articulación abierta se energiza sin juicio ni represalia. El amor se indica en palabras, sin embargo, en una conducta empática, sostenida y fuerte. Cada miembro, hasta el más joven, es tratado como una parte estimada y considerada. Se permite la participación, y hay una sensación de uniformidad, independientemente de si los tutores tienen el último voto. Los guardianes actúan con atención y están comprometidos con sus responsabilidades y consideran a los niños responsables de las suyas. Corrigen y rechazan los problemas, sin embargo, no acusan a sus hijos ni atacan a su personaje. Los deslices están permitidos y justificados, y los guardianes reconocen sus propias deficiencias. Energizan y guían a sus hijos y consideran su protección y sus límites físicos y afectivos. Estos acuerdos crean seguridad, confianza y honestidad.

5. Comunicación disfuncional. Esto puede tomar numerosas estructuras, desde la falta de correspondencia a la interacción hasta el abuso verbal. Hablar no es equivalente a la correspondencia utilitaria, que incluye sintonía, aprecio, decisión y comprensión. En familias disfuncionales, la interacción no es segura ni abierta. Las personas no sintonizan y prevalece el abuso verbal. Los niños son reacios a expresar sus ideas y emociones, y con frecuencia son acusados, deshonrados o castigados por su auto-articulación. Se les aconseja legítimamente o de forma indirecta que no sientan lo que sienten y podrían ser nombrados marica, terrible, idiota, apática o infantil. Aprenden a no analizar a sus padres y a no confiar en sus observaciones y emociones.

6. Negación. Renuncia (Foreswearing) es un enfoque para pasar por alto o imaginar que no existe una realidad tolerable. Los terapeutas intentan actuar de manera típica en medio de problemas familiares y emergencias, por ejemplo, la ausencia, enfermedad o adicción al licor de un padre. Nunca se discute, ni se enfoca el tema. Esto hace que los niños cuestionen sus observaciones y comuniquen algo específico que no pueden discutir sobre algo extraño y sorprendente, incluso entre ellos.

7. Reglas inflexibles. En ciertas familias donde existe un comportamiento físico o disfuncional, los guardianes son excesivamente negligentes o poco confiables, los jóvenes necesitan dirección y no tienen un sentido de seguridad y reflexión. En general, sea como sea, existen estándares prohibitivos y subjetivos. Muchos son implícitos. No hay espacio para confusiones. Algunos tutores asumen el control sobre las elecciones que los niños deben tomar y controlan sus intereses, cursos escolares, compañeros y vestimenta. La autonomía normal es vista

como traición y abandono. Prohíben discutir cosas consideradas indecorosas, por ejemplo, el sexo, la muerte, el holocausto, la discapacidad del abuelo o que el padre se haya ausentado anteriormente. Algunas familias tienen pautas que limitan la declaración de resentimiento, abundancia o llanto. En el momento en que los sentimientos no se pueden comunicar, los jóvenes aprenden a moderarse y se convierten en adultos excesivamente controlados, lo que se suma a la poca confianza.

8. Confusión laboral. Esto sucede cuando un padre está mental o físicamente ausente o no es confiable y un niño asume los deberes de los padres o se convierte en un amigo o compinche del otro padre. Esta es habitualmente la situación después de una separación, pero también ocurre en familias sin defectos donde los guardianes necesitan cercanía. Esto es inadecuado para la edad y daña mentalmente al niño, que ahora debe actuar como un adulto, someter sus necesidades y sentimientos, y puede sentir que el individuo está traicionando al otro padre.

9. Un sistema cerrado. Una familia cerrada no permitirá que se hable de planes diferentes o nuevos entre individuos o con extraños. A las personas no se les permite hablar de la familia con otras personas, y probablemente no permitirán visitantes de otra raza o religión. Algunas familias están aisladas y no se comunican con la sociedad. Otros lo hacen, sin embargo, las apariencias lo son todo, y la realidad con respecto a la familia no se comparte. En la base están los temores de pensamientos únicos y la desgracia.

Hoy en día, las organizaciones, las familias juveniles y los países se están volviendo cada vez más abiertos y populistas, una señal segura de lo que vendrá.

Adicción

La codependencia es una condición en la que las personas se esfuerzan y aceptan que si controlan individuos, puntos de vista y circunstancias, pueden inferir un sentimiento de autoestima. Después de una adicción, se necesita lidiar con los necesidades y los problemas de otra persona. A decir verdad, una gran cantidad de las personas con las que he trabajado que están en este tipo de relaciones codependientes terminan asumiendo, en general, lo que puede describirse como indicadores ejemplares de adicción. Una parte de los problemas que muestran incluyen:

- Cambios en el estilo de vida
- Episodios neuróticos o nerviosos sin razón aparente.
- Cambios como parte de su carácter según lo anunciado por sus seres queridos
- Falta de voluntad o letargo.

A raíz de la decisión de que un individuo está consumiendo sustancias, por ejemplo, licor o medicamentos, y descubriendo que sus efectos secundarios no son indicios de otros problemas de bienestar psicológicos o del ánimo, descubro que lo que están encontrando es, a decir verdad, adicción constante, dinámica y reincidente. En realidad, muchos de los que están en relaciones codependientes básicamente dependían de las personas con las que están saliendo.

Sentimientos negativos

En este punto, muchos piensan que es difícil "dejar" la relación, al igual que un individuo adicto a las experiencias con la bebida dejar de beber licor. La "adicción a las relaciones" controla la capacidad de un individuo para justificar y establecer decisiones sólidas para más ventajas a su favor. Sus vidas terminan siendo afectadas de manera negativa porque dependen demasiado de otra persona para recibir apoyo emocional.

Cuatro pasos clave para la recuperación de la codependencia

Encontrar un especialista que lo haga sentir bien y seguro es un lugar increíble para comenzar para cualquier persona que desee cambiar los problemas de codependencia. Al superar los problemas de codependencia, ten en cuenta lo siguiente:

Crear información sobre lo se asemeja a relación sana: Nunca espero que un individuo que admita y tolere la parte de la adicción de la codependencia requiera bastante energía, y puesto que es una condición de reincidencia, instando a las personas a seguir alejándose de su recuperación cada día , a su vez, es básico para su prosperidad y posible recuperación. Experimentar la codependencia tiene una comprensión decente de lo que se asemeja a una relación sólida. Un aspecto de mis responsabilidades es ayudar a las personas a comprender lo que les espera en una relación sana.

La recuperación de la codependencia es un procedimiento: muchas personas que lo experimentan han estado ensayando aptitudes de relación disfuncionales durante la mayor parte de sus vidas. Conceder y tolerar el segmento de adicción de la codependencia requiere una cierta inversión, y dado que es una condición reincidente, instar a las personas a que continúen tratando de recuperarse cada día es básico para su prosperidad y posible recuperación.

Desarrollar un sentimiento sano de auto-identidad: al igual que numerosas personas que viven con adicciones, numerosas personas que son codependientes batallan con cuál es su identidad y cuál es su motivación. Cada cierto tiempo, ellos son conscientes y sensatos a su charla identidad interna, y de vez en cuando, no tienen idea de lo que les gusta o lo que no les importa.

Construcción de límites: uno de los avances más importantes para dominar en el viaje de recuperación de la codependencia es descubrir cómo construir límites emocionals adecuados. Ayudar al individuo con codependencia a descubrir que la persona en cuestión no tiene control sobre los demás es un avance crítico en la creación de relaciones sanas.

Aprender la auto-aprobación: Las personas con codependencia regularmente tienen un concepto dudoso de sí mismas, por lo que guiar a un individuo a descubrir cómo soportar sentimientos incómodos, dejar de lado ejemplos inútiles de conducta y practicar la auto-aprobación ayudará durante el tiempo dedicado a construir la confianza .

Se ha aludido a la codependencia como "adicción a la relación" o "adicción al amor". El énfasis en los demás aligera nuestro tormento y el vacío interno, sin embargo, al ignorarnos a nosotros mismos, este simplemente se desarrolla. Esta propensión se convierte en un marco redondo y autosustentable que adquiere su propia vida. Nuestro razonamiento termina siendo exagerado, y nuestra conducta puede ser habitual, a pesar de los resultados desfavorables. Los modelos pueden llamar a una pareja o expareja que nos damos cuenta que no deberíamos, poniéndonos en peligro o nuestras cualidades en peligro para adaptarse a alguien, o explorando por deseo o temor. Esta es la razón por la que se ha aludido a la codependencia como una adicción. En 1956, se determinó que la adicción era una enfermedad y, en 2013 , también calificó la obesidad como una enfermedad. Una inspiración principal en los dos casos fue desdibujar estas condiciones y potenciar el tratamiento.

¿Es la codependencia una enfermedad?

En 1988, los terapeutas recomendaron que la codependencia fuera una enfermedad considerando el procedimiento adictivo. Un terapeuta y especialista en medicina internista, Charles Whitfield, describió la codependencia como una dolencia interminable y dinámica de la "pérdida del yo" con efectos secundarios inconfundibles y tratables, simplemente como la dependencia de sustancias.

La codependencia también se representa por manifestaciones que cambian en un proceso continuo como los relacionados con el uso crónico de drogas. Van de leves a crónicos e involucran sumisión, renuncia, reacciones emocionales disfuncionales, anhelo y remuneración (a través de la conexión con otra persona) y la falta de control o abandono a conductas urgentes sin tratamiento. Tú inviertes cada vez más energía contemplando, estando e intentando controlar a otra persona, de igual manera que un drogadicto con un medicamento. Otros ejercicios sociales, recreativos o laborales perduran en consecuencia. A la larga, puedes continuar con tu conducta y la relación, a pesar de los problemas sociales o relacionales crueles o repetitivos que genera.

Fases de codependencia

La codependencia es constante con los efectos secundarios que se sufren, que además son dinámicos, lo que implica que se intensifican después de un tiempo sin intervención y tratamiento. Como lo vería, la codependencia comienza en la juventud debido a una condición familiar disfuncional. En cualquier caso, los jóvenes suelen ser dependientes; que no puede ser analizada hasta la edad adulta, y en su mayor parte, comienza a manifestarse en las relaciones cercanas. Hay tres etapas identificables que provocan una mayor dependencia en el individuo o la relación y se compara la pérdida del ego y el autoayuda.

Período de inicio

El período inicial puede parecerse a cualquier relación sentimental con una mayor consideración y dependencia de su pareja y deseo de satisfacer a la persona en cuestión. Sea como fuere, con codependencia, podemos terminar obsesionados con el individuo, negar o defender conductas riesgosas, cuestionar nuestros discernimientos, descuidar el mantenimiento de límites sanos y entregar a nuestras propias amistades y prácticas.

Etapa central

Poco a poco, se requiere un mayor esfuerzo para limitar las partes insoportables de la relación, y se establecen la intranquilidad, la culpa y la autoacusación. Después de un tiempo, nuestra confianza disminuye a medida que negociamos una mayor cantidad de nosotros mismos para mantener la relación. Se desarrollan la indignación, insatisfacción y odio. Luego potenciamos o intentamos cambiar a nuestra pareja a través de la consistencia, el control, ataques o la acusación. Podemos ocultar problemas y alejarnos de familiares y compañeros. Posiblemente puede haber abuso o violencia, sin embargo, nuestro estado de ánimo disminuye, y la fijación, la sumisión y las peleas, el retraimiento o la consistencia aumentan. Podemos asumir otras prácticas adictivas para adaptarnos, por ejemplo, comer menos comida chatarra, comprar, trabajar o abusar de las sustancias.

Etapa tardía

Actualmente, los efectos secundarios anímicos y sociales comienzan a influir en nuestro bienestar. Podemos experimentar presión relacionada con algunos padecimientos, por ejemplo, problemas relacionados con el estómago e insomnio, migrañas, tensión muscular o dolores, problemas alimenticios, síndrome de la articulación temporomandibular (ATM), sensibilidades, ciática, y enfermedad coronaria. La conducta impulsiva exagerada o las diferentes adicciones aumentan, al igual que la ausencia de confianza y autoestima. Se desarrollan sentimientos de tristeza, indignación, tristeza y miseria.

Recuperación

Afortunadamente, los indicadores son reversibles cuando un codependiente ingresa al tratamiento. Las personas no buscan ayuda hasta que hay una emergencia o están en suficiente agonía para persuadirlos. Por lo general, no son conscientes de su codependencia y también pueden ignorar deliberadamente el abuso y la adicción de otra persona. La recuperación comienza con la educación y dejando la negación. Instruirse acerca de la codependencia es un comienzo conveniente, sin embargo, un cambio más prominente ocurre a través del tratamiento e ir a un programa de Doce Pasos.

En la recuperación, aumenta la confianza y el centro cambia del otro individuo hacia ti mismo. Hay fases de recuperación temprana, media y tardía que son paralelas a la recuperación de diferentes adicciones. En la fase central, comienzas a crear tu propio carácter, confianza y la capacidad de expresar con decisión tus sentimientos, necesidades y deseos. Aprendes obligación, límites y cuidado personal. La psicoterapia frecuentemente incorpora tratamiento para el trastorno por estrés postraumático y la abuso juvenil.

En la etapa final, la alegría y la confianza no dependen de los demás. Impones límites con respecto a la autosuficiencia y la intimidad. Experimentas tu propia capacidad y auto - estima. Te sientes libre y nuevo, con la capacidad de producir y buscar tus propios objetivos.

La codependencia no desaparece en consecuencia cuando un individuo abandona una relación codependiente. La recuperación requiere un apoyo progresivo y no existe una método único. En cualquier caso, la conducta codependiente puede, sin mucho esfuerzo, regresar bajo presión o si entra en una relación disfuncional. La baja autoestima es un efecto secundario de la codependencia. No hay nada como la recuperación perfecta. Los efectos secundarios repetitivos simplemente presentan inicios de aprendizaje continuo.

Abuso

Las relaciones entre individuos son sólidas cuando están interconectadas. En una relación interconectada, cada individuo tiene sus propias necesidades atendidas y se esfuerza por abordar los problemas del otro individuo. Sin embargo, ocurre un problema cuando las relaciones están interconectadas, pero son codependientes.

En relaciones codependientes, que las necesidades de un individuo sea llenado por el otro es indeseable o inadecuado. Una de las situaciones más frecuentes de codependencia es un bebedor empedernido que recibe habitualmente alcohol de la otra persona en la relación, a pesar de que el alcohólico puede resultar verbal o físicamente abusivo cuando está ebrio. La duda en ese punto tiene que ver con ese comportamiento: "¿Por qué razón esa persona obligaría e incluso ayudaría a tal conducta?" La respuesta apropiada es la codependencia y, con frecuencia, la razón es el abuso psicológico.

Los genuinamente abusados terminan en relaciones codependientes a la luz de un deseo de ser amado, independientemente de si lo que tienes que hacer es dar la siguiente bebida. Además, a pesar del hecho de que una relación es codependiente, en cualquier caso, es necesitada en algún sentido. El abuso psicológico con frecuencia asusta a la víctima. No se sienten merecedores de ser amados por sí mismos. En una relación codependiente, su valor se caracteriza efectivamente. Se les reclama regularmente que critican a ese individuo, particularmente cuando le están dando lo que ese individuo necesita. Para sentirse estimado, incluso dependiendo de una conducta indigna o destructiva, el individuo que ha sido realmente abusado entrará o continuará en una relación codependiente desafortunada.

El abuso psicológico tiene éxito cuando el abusador puede suplantar su propia autoridad sobre ti con su control. Nunca más confías en ti mismo, sino que permites que el abusador tenga un impacto indebido sobre tus pensamientos y actividades. El abusador progresa para convertirse, en general, en una parte de ti, controlándote y cómo te ves a ti mismo y a tu realidad. El límite entre el lugar donde comienza y termina el abusador es incierto.

En las relaciones resultantes, puede terminar abandonándote totalmente al siguiente individuo, sumergiéndote completamente en el carácter del otro individuo, tolerando su perspectiva sobre el mundo y sobre ti. Lamentablemente, puedes buscar a alguien que sea dominante y que controlador con quién establezca una relación. Las actividades en esta nueva relación encajarán como en un ejemplo anterior.

Por otra parte, puedes ser increíblemente sensible a cualquier cosa que piense que parezca remotamente similar al control. Puede ser difícil para ti mantener relaciones cercanas, debido a que tener cercanía puede desencadenar una reacción extraordinariamente delicada de tu parte. Además, es posible que seas excepcionalmente suspicaz de cualquier persona que intente familiarizarse contigo de manera profunda e individual. Puedes establecer límites para mantener a las personas alejadas.

A largo plazo, simplemente existe el peligro de terminar muy atascado. Si tu experiencia ha sido consistentemente que lo que hiciste o no hiciste trajo consecuencias rápida e importantes, es posible que hayas razonado que el mundo realmente gira a tu alrededor. Es posible que hayas acumulado una propensión a analizar todo lo que ocurre a tu alrededor a medida que se identifica contigo.

Mientras estas estrategias te ayudaron a soportar el abuso hacia ti, te han dejado mal preparado para trabajar dentro de relaciones sanas y positivas. Esforzarte por sumergirte totalmente en una relación sólida puede hacerte parecer posesivo e intenso o asfixiarte con tu pareja. Por otra parte, problemas con la intimidad y una actitud distante en general pueden impedir que otras personas intenten relacionarse contigo. Además, ser increíblemente auto-controlado prácticamente descarta que los demás se fijen en ti.

Si no tienes idea de qué es una relación codependiente, es cuando dos personas en una relación renuncian a su libertad y construyen una relación indeseable para ambos. En este contexto, un miembro de la pareja está tan obsesionado con los deseos del otro que pasa por alto sus propias necesidades. Por lo tanto, el otro miembro controla la relación de una manera egoísta y regularmente perjudicial.

Esta es una dinámica peligrosa, pero no es tan fácil de identificar como sospecha. Si bien en las relaciones codependientes puede haber abuso físico, todas tienen abuso mental y emocional. Este tipo de abuso suele ser muy difícil de identificar. Gradualmente se arrastra a la relación y se convierte en un ejemplo de conducta que el codependiente no puede cambiar.

Las causas del abuso psicológico en una relación pueden comenzar de repente o pueden desarrollarse lentamente. Habitualmente, lo que ve la pareja codependiente como una pareja apasionada y atenta es realmente un controlador, un acosador, y una persona que está separando y nutriendo de los necesidades de la codependencia.

Los efectos y el impacto del abuso emocional, mental y verbal

Los diferentes rasgos que todos tenemos afectan a las personas que nos rodean de diferentes maneras y es importante comprender el impacto que tienen en las relaciones.

Dado que los codependientes temen ser separados de todos los demás y obtener mucha de su identidad de sus relaciones con su pareja, tienen problemas para decir no o defenderse a sí mismos cuando comienzan a experimentar el abuso. Decir que no con frecuencia provoca un progresivo abuso verbal, aislamiento y peligros de abandono, todos los problemas que en realidad es lo que el codependiente intenta evitar.

Esto crea una situación en la que el individuo narcisista se aprovecha del que es codependiente y no pueden prescindir el uno del otro.

Es fundamental comprender que, al igual que el abuso físico, el abuso emocional, mental y verbal es un comportamiento intencional del abusador. El narcisista utiliza esta conducta para obtener lo que quiere, destruyendo a propósito la confianza, la autoestima y la capacidad del otro individuo para cuidar de sí mismo.

Descubrir el gaslighting

Otro tipo regular de abuso emocional y verbal es el llamado gaslighting (juegos mentales). Definitivamente, esta no es otra enfermedad sin embargo, se identificó y nombró recientemente como una conducta utilizada por las personas que participan en el abuso psicológico.

El gaslighting es más difícil de distinguir y más perjudicial que algunos tipos diferentes de abuso psicológico. En este tipo de abuso, el abusador controla al codependiente al proporcionar datos falsos o recuerdos falsos que llevan al codependiente a comenzar a examinar su salud mental y su capacidad para revisar y recordar cosas de manera efectiva.

A veces, el gaslighting es la utilización de la negación de que ocurrieran cosas. Esto no solo tiene que ver con evaluar la memoria. Es maligno, premeditado y tiene la intención de generar culpa, vulnerabilidad e incertidumbre en tu cerebro.

Hay algunas señales regulares de que hay gaslighting en la relación. Para ayudar a identificar esta conducta, busca lo siguiente:

Dar datos falsos: para justificar una mentira, un abusador que brinde información falsa desmentirá a otras personas. Por ejemplo, un hombre puede decirle a una dama que estaba jugando con alguien en una reunión, y todos lo vieron que estaba discutiendo. Puede hacer tergiversaciones sobre lo que otros dijeron y cómo vieron la conducta.

Conducta encubierta: si tu pareja fue atrapado en una mentira, con frecuencia utilizará esfuerzos engañosos para aclarar el problema. En cualquier caso, las mentiras se vuelven a contar una y otra vez, y pueden ser observaciones claramente incorrectas de lo que ha sucedido. Simultáneamente, el codependiente probablemente no va a desafiar la mentira, y continúa siendo reafirmado hasta que sea difícil para el codependiente comprobar los detalles de la circunstancia.

Como el gaslighting puede ser difíciles de reconocer, conversar con un asesor y crear un grupo de personas sólido y alentador será básico para evadir más daños a su confianza.

Enfermedades

Una de las partes más difíciles de la vida es formar vínculos y relaciones sanos con otros. Con frecuencia, las personas ha sufrido traumas que producen una lealtades insanas hacia otros. Esto implica que las desafortunadas víctimas tienen relaciones disfuncionales específicas que ocurren acompañados de peligro, desgracia o abuso.

En estas relaciones, un individuo puede encontrar más abuso, autolesiones, fijación, celos y otras secuelas negativas de la relación. Otro efecto normal y posterior de la adicción y los ambientes disfuncionales es la codependencia. La codependencia alude a un tipo de relación disfuncional en la que un individuo potencia la adicción de otra persona, un pobre bienestar emocional, la adolescencia, la falta de confianza o el bajo rendimiento.

La codependencia puede ser un problema difícil de tratar durante el tratamiento, ya que puede convertirse en una adicción irreconocible. Con frecuencia, uno termina tan involucrado en la relación y el vínculo que formaron con otro que regularmente no se ve que su vínculo es indeseable. Un individuo no puede controlar su relación con otra persona a la que no le importa la infidelidad, las peleas o el abuso. El individuo que tiene un problema de codependencia está cada vez más centrado en el abusador. Para sanar e identificar las consecuencias, un individuo debe ser capaz y estar dispuesto a aceptar cómo su conducta habitual solo contribuye en la formación de relaciones dañinas y de esta manera debe romper la compulsión.

La codependencia, una vez más, se concentra más en la adicción. La tenencia de lesiones y la codependencia posiblemente se encuentren cuando la persona adicta es también con problemas con la ley. El individuo que en general será codependiente probablemente estuvo involucrado con algún tipo de adicción a través de parientes, parejas, etc. En este sentido, el individuo es activado por otras personas que tienen adicción. Además, la codependencia no es "aterradora", pero cada vez más se trata de pensar en las necesidades de los demás en lugar de las propias. En el tratamiento de la codependencia, es importante que el individuo sea cada vez más consciente de sí mismo, de su razonabilidad y de que le permita tomar cuidado de sus vidas.

Al tratar a los demás, es esencial percibir la diferencia entre tener una enfermedad y la codependencia. Conformar una relación es difícil por derecho propio, sin embargo, cuando se incluyen enfermedades, infidelidades, estrés, adicción, abuso y ausencia de amor propio, las relaciones pueden resultar muy desafortunadas y hay necesidad de intervenciones. Tanto tener enfermedades o condiciones como la codependencia pueden causar resultados indeseables. Es imperativo permitir que el individuo identifique si una relación ha resultado ser adictiva o si debe separarse afectuosamente y cuidarse a sí misma. Con frecuencia, esto se puede lograr rompiendo las relaciones con un especialista y descubriendo cómo definir los límites y darse por vencido. Dado que con el abandono y el reconocimiento de cómo romper las relaciones indeseables, un individuo desarrolla su sentimiento real de sí mismo y su capacidad para crear relaciones confiables y sólidas.

"En una guerra, los guerreros se ven obligados a negar sus sentimientos para resistir. Esta negación emocional intenta permitir que el guerrero soporte la guerra, pero más tarde puede tener resultados retroactivos. El recuerdo restaurativo ahora ha percibido el trauma y el daño que esto causa. La negación emocional puede causar, y se ha instituido un término para representar los impactos de este tipo de trastorno. Ese término es "Síndrome de estrés pospuesto".

En una guerra, los combatientes necesitan negar lo que se siente ver a compañeros ejecutados y heridos; lo que se siente al asesinar a otras personas y ver que se esfuercen por matarte. Hay trastornos provocados por tales ocasiones. Hay trastornos debido a la necesidad de evitar que el efecto emocional de recordar esos hechos. Hay un trastorno por los impactos que la negación emocional tiene en la vida del individuo después de que él / ella ha regresado de la guerra a la luz del hecho de que mientras el individuo niegue su herida emocional, él / ella está excluyendo una parte reclamándose a sí mismo.

La presión provocada por el daño y el impacto de negar lo, al negarse a sí mismo, al final aflora de maneras que producen nuevos trastornos: desasosiego, abuso de licor y medicamentos, pesadillas, ira descontrolada, falta de atención en las relaciones, impotencia para mantener empleos, suicidio, etc.

La codependencia es un tipo de síndrome de estrés tardío.

En lugar de heridas y muerte (aunque algunos experimentan heridas y muertes en realidad), lo que nos sucedió como jóvenes fue el daño emocional, el tormento mental y el abuso físico. Tuvimos que crecer evitando que la verdad revelara lo que sucedía en nuestros hogares. Tuvimos que negar nuestros sentimientos sobre lo que estábamos percibiendo, viendo y detectando. Tuvimos que negarnos a nosotros mismos.

Crecimos negando la realidad emocional: abuso de alcohol parental, adicción, comportamiento disfuncional, rabia, crueldad, miseria, abandono, doble vida, dificultades, desprecio, endogamia, etc., etc. de nuestros parientes luchando o la presión familiar y la indignación ya que no estaban siendo lo suficientemente fuertes para luchar; desde la desatención del padre debido a su adicción al trabajo, así como a la madre que nos cubre, ya que no tenía otra personalidad que ser madre; del abuso que uno de los padres acumuló en el otro que no se protegería a sí mismo y, además, el abuso que recibimos de una de nuestros padres mientras que el otro no nos protegería; de tener solo uno de los padres o de tener dos guardianes que permanecieron juntos y no deberían haberlo hecho; y así sucesivamente.

Crecimos con mensajes como: los niños deben ser vistos y no escuchados; los machos no lloran y las damas no hacen escandalo; no está bien resentir a alguien que adoras, particularmente a tu familia; Dios te ama, sin embargo, siempre te enviará a quemarte en el fuego del infierno si tocas tus partes privadas; no hagas líos, ni corras, ni seas un joven típico; no cometas errores, ni haga nada incorrectamente; y así sucesivamente.

Nos introdujeron naturalmente en el centro de una guerra donde nuestro sentimiento de identidad fue maltratado, agrietado y roto en pedazos. Experimentamos la infancia en zonas de guerra donde nuestras presencias eran limitadas, nuestras ideas refutadas y nuestros sentimientos pasados por alto y anulados.

La guerra a la que nos presentaron naturalmente, la primera línea en la que vivimos todos en la infancia, no fue en una nación externa contra un "enemigo" identificado, sino en los "hogares" que deberían ser nuestro lugar de refugio con nuestra familia a quien amamos y quien confiamos nos cuidarían. No fue por un año o unos pocos, fue por dieciséis o diecisiete o dieciocho años.

Encontramos lo que se clasifica como "lesión por asilo", lo que debía ser nuestro lugar más seguro no nos daba protección, y lo encontramos una vez al día durante mucho tiempo. El daño absoluto más notable se nos hizo de manera discreta regularmente con el argumento de que nuestro refugio era una zona de guerra.

Era todo menos una línea de frente a pesar del hecho de que nuestra familia estaba actuando mal o era horrible: era una zona de guerra ya que estaban en guerra por dentro, con el argumento de que se les llevó naturalmente a la mitad de una guerra. Al sanar, nos estamos convirtiendo en buenos ejemplos de que nuestra familia nunca tuvo la oportunidad de ser. Al estar en Recuperación estamos rompiendo los ciclos de conducta inadecuados que han llevado los seres humanos por un gran número de años.

La codependencia es un tipo horrible y extraordinario de síndrome de estrés retrasado. El daño de sentir que no estábamos protegidos en nuestros propios hogares hace que sea excepcionalmente difícil sentir que estamos protegidos en cualquier lugar. Tener una inclinación de que no éramos amados por nuestra propia familia hace que sea difícil aceptar que alguien pueda amarnos.

La codependencia es estar en guerra con nosotros mismos, lo que hace que sea difícil confiar y amarnos a nosotros mismos. La codependencia impide que nos veamos a nosotros mismos, por lo que no tenemos la menor idea de cuál es nuestra identidad.

La recuperación de la enfermedad de la codependencia incluye detener la guerra interior para que podamos conectarnos con nuestro verdadero yo, para que podamos comenzar a amar y confiar en nosotros mismos".

Capítulo 3 - El proceso de recuperación

Establecer límites

En las relaciones sentimentales, frecuentemente consideramos los límites como algo horrible o básicamente superfluo. ¿No se espera que nuestra pareja prevea nuestros deseos y necesidades? ¿No es esa pieza de estar enamorado? ¿No son los límites insensibles? ¿No se entrometen con el sentimiento y la espontaneidad de una relación?

Toda relación sana tiene límites. Un límite es "donde termino yo y comienza otra persona". Los límites se comparan con los límites alrededor de los países.

Sin línea, la diferencia entre uno y otro termina siendo confusa: ¿quién posee y mantiene este espacio cuestionable? ¿Qué pautas aplican?

En el momento en que el límite se establece y respeta, patentemente, no necesitas colocar divisores o paredes eléctricas, las personas pueden incluso cruzar el límite ocasionalmente cuando hay comprensión entre las partes. Sea como fuere, cuando el límite se rompe como para hacer daño o abusar, en ese punto probablemente necesitará divisores, puertas y vigilantes.

En relaciones sanas, los miembros piden consentimiento, consideran las emociones del otro, muestran aprecio y consideran las diferencias en las discusiones, puntos de vista y sentimientos.

En relaciones menos sanas, los miembros esperan que su pareja se sienta de la misma manera que ellos. Pasan por alto las consecuencias de ignorar el límite de su compañero (por ejemplo, "Ya se le pasará").

Los límites en las relaciones sentimentales son particularmente importantes, debido a que en lugar de diferentes relaciones, las parejas poseen los secretos más privados del otro, incluidos los físicos, emocionales y sexuales.

Esta es la razón por la que establecer límites obviamente es vital. Sea como fuere, ¿a qué - y a qué no - se parece esto?

A continuación, observará fragmentos de conocimiento sobre límites que no funcionan y consejos para definir límites que sí funcionan.

Límites que no funcionan

Los límites que frecuentemente fracasan son aquellos que incorporan las palabras "consistentemente", "nunca" o cualquier lenguaje dominante. Tales límites son normalmente irrealizables y no duran.

Otros límites inadecuados lo alejan de su pareja, tienen una doble moral o intentan controlar tu conducta. Si no estás en casa a las 8 de la noche de forma sistemática, no tendré relaciones sexuales contigo "," Si no haces X, me lastimaré "o" No tienes permitido hacer X, pero yo puedo hacerlo cuando quiera".

Los límites poco claros tampoco funcionan. Estos incluyen " No gaste mucho dinero este mes" o "Ve a buscar a los niños en la escuela un par de veces por semana".

Muchas parejas no hablan de sus límites. Argumentan que su pareja simplemente debería conocerlos. Esto está fuera de lugar. Por ejemplo, necesitas que tu pareja conozca tus deseos. En lugar de comunicar esta necesidad, tú la insinúas, juegas una ronda de "Te premiaré con creces si adivinas lo que quiero" o te enojarás cuando esto no ocurra.

Además del hecho de que esto es impracticable, causa problemas y puede dañar tu relación.

Definición de límites saludables

Según el analista Leslie Becker-Phelps, Ph.D, los límites sanos incorporan todo, desde hacer un poco de ruido cuando crees que estás siendo ignorado hasta apoyarte a ganar fuerzas para defenderte.

Intente el enfoque del emparedado. Esto se compone de un cumplido, análisis, cumplido. Comenzar con un cumplido evita que su pareja se proteja. "Esto los prepara para un pequeño análisis, se sienten asociados y lo suficientemente agradables como para tomarlo, y luego se cierra con un cumplido".

Modelo: "Me encanta tener sexo contigo, es una alucinante parte de nuestra relación. Me he dado cuenta que estoy casi siempre estoy de mejor ánimo en la mañana, mientras que por la noche, simplemente necesito descansar. ¿Podríamos mejor seguir teniendo el sexo por las mañanas? "

Sé claro acerca de tus necesidades. Después de darte cuenta de cuáles son tus necesidades, cuéntale a tu pareja. Muchas de las transgresiones a los límites provienen de errores. Una pareja tiene un problema con algunas prácticas específicas, sin embargo, nunca deja que su pareja lo sepa. Regularmente esto se debe a que indican que esto provocaría una pelea.

Sea como fuere, está bien tener preferencias, y está bien decirle a tu pareja. Por ejemplo, si necesita ser tratado como a un igual en asuntos de dinero, infórmaselo a tu pareja .

Sé específico y directo. Según lo indicado por Levy, cuanto más específico seas al establecer tu límite, mejor. Ella compartió estos modelos:

"Si colocas tu ropa sucia en el cesto antes de las 10 am del sábado por la mañana, estaré encantado de lavarlas por ti".

"Trata de no leer mi diario. Me siento dañado cuando mi intimidad se ve menospreciada".

"Necesito saber cómo te fue en tu día. Estaré disponible para darte mi completa atención en 10 minutos".

Sé claro acerca de tu amor, al mismo tiempo que seas claro sobre tus límites. Transmite a tu pareja cuanto te importa. Si han excedido un límite, ten en cuenta esto. "Indica que necesitas que respeten el límite y aclara el significado de esto para ti".

"Te amo, pero no estoy dispuesto a llamarte por teléfono cuando has estado bebiendo".

Ella compartió este modelo: "Necesito que te des cuenta de que te amo y deseo que estemos juntos para resolver cualquier problema que surja. En cualquier caso, no me gusta que seas verbalmente brusco cuando te enojas. Si necesitas discutir cuanto te molesta que me encontrase con mi ex, podemos hacerlo, pero solo si no me atacas".

Becker-Phelps también recomendó permanecer abierto a escuchar cómo el límite influye en tu pareja. Habla sobre el tema para que ambos se sientan considerados, escuchados y respetados, dijo.

Usa la primera persona, "yo". Según Levy, las explicaciones con "yo" lo ayudan a reclamar sus propios sentimientos y le permiten a tu pareja sentirse más tranquila y menos protectora". En lugar de decir: "Tienes que hacer esto" o "Debes hacerlo constantemente", utiliza expresiones tales como: "Yo siento" o "Yo reconocería" o "Me gustaría si..."

Actúa de manera consciente. La fase inicial en la definición de cualquier límite es la auto-información. Debes reconocer lo que te gusta y disgusta, con qué estás bien y qué te aterroriza, y cómo debes ser tratado en determinadas circunstancias.

Si bien no hay garantía de que esto funcionará de manera consistente, los individuos en general responderán cada vez más cuando se sientan escuchados y comprendidos por primera vez.

En resumen, las relaciones sanas requieren límites obvios. Por ejemplo, la mayoría de las parejas coinciden en que la infidelidad es una infracción a los límites. Sin embargo, no entiendo el significado de infidelidad ¿Es contacto físico, ir a almorzar, comunicar información privilegiada a una pareja, fantasear con alguien o ver pornografía?

En el momento en que las parejas tienen claros los límites de su propia relación, cuáles son los principios, objetivos y deseos, la relación puede ser estable.

Ponerse primero

Amor propio

Rehusarse a tratar contigo mismo no te convierte en un santo merecedor de premios, sino que presumiblemente convierte tu vida en un tormento. Esto puede parecer absurdo, sin embargo, es un buen augurio si piensas que en su conjunto necesitamos a aquellos con quien queremos estar cerca, contentos y sólidos durante todo el tiempo que sea concebible. Puedes estresar a tu pareja al no lidiar con tu bienestar, ya que esto puede significar perderte en una enfermedad que se pudiera prevenir.

Los principios comparativos se aplican cuando no lidias con tu bienestar emocional. Quizás estés desanimado o tengas problemas constantes en el trabajo, pero no cambiarás de empleo ni recibirás ayuda a través de tratamiento. Es posible que te sientas merecedor de la compasión de tu pareja de manera constante y eso es coherente hasta cierto punto. La vida puede ser dura y periódicamente trata crudamente, pero cuando la circunstancia pasa y tú te mantienes renuente a solucionar el problema, querer compasión se transforma en una actitud infantil. Nadie necesita volver a casa para encontrar tristeza constantemente.

Además, es extremadamente penoso ver a nuestros amigos y familiares soportar, por lo que no eres el único atormentado cuando tienes problemas. En verdad, ninguno de nosotros puede proporcionar a los demás lo que no podemos proporcionar a nosotros mismos, por lo que nuestra capacidad para tratar con nosotros mismos y satisfacernos a nosotros mismos está firmemente vinculada a nuestra capacidad para proporcionar a los demás libremente. Ambos merecen una persona importante que asuma responsabilidad por su bienestar y satisfacción.

De esta manera, a pesar del hecho de que puedas sentirte absorbido de varias maneras por la totalidad de tus obligaciones, reserva unos minutos de manera constante para estos pasos fundamentales de autocuidado:

Busca enfoques para desarrollar y descubrir cómo permanecer ocupado con la vida.

Esto podría estar examinando la posibilidad de conseguir algún hobby. Cuando somos jóvenes, todo provoca nuestro interés y se siente nuevo y energizante, pero a medida que nos hacemos mayores, es todo menos difícil permanecer siendo el mismo de siempre. Trata de no ser predecible, al contrario, trata algo nuevo para energizarse y convérsalo con tu pareja.

Come bien, descansa lo suficiente y haz ejercicio de manera rutinaria.

La vida es corta y solo tienes un cuerpo para vivirla, así que trátalo como la necesidad esencial que es. Utiliza un buen juicio y lidia con él de manera consistente en pequeñas y maravillosas formas.

Invierte energía de calidad como equipo.

Cierra cada semana en actividades en las que no participes en conversaciones estresantes como el trabajo, las facturas, etc. Más bien, vean una película juntos o planeen una excursión a un centro de recreación o sala de exposiciones. Durante esas ocasiones, apaga tu teléfono. Independientemente de si es una noche completa o simplemente recuperar el tiempo perdido en la primera parte del día o la noche, tener solo 30 minutos de tiempo juntos puede ayudar a crear un vínculo más sólido. Sentirse cerca de los demás es el Prozac de la naturaleza sin los gastos y síntomas, así que úsalo libremente.

Invierte energía con tus seres queridos.

Somos criaturas sociales y nada nos alimenta como nuestras relaciones. Ofrecer una sonrisa a amigos y familiares hace que nuestro estrés ordinario desaparezca y nos conecta con algo más grande. Esta experiencia es fundamental para nuestra prosperidad, ya que alivia la presión.

Tratar contigo mismo física y genuinamente te hace cada vez presente, centrado y tranquilo. Sé la persona con quien necesitarías volver a casa, alguien que avanza en su propia prosperidad y satisfacción y, por lo tanto, tiene la capacidad para transmitir alegría a otra persona también.

Para concluir, si sientes que tu pareja no está cuidando su persona, haz un poco de ruido y conversa al respecto. Llama la atención sobre por qué se ocupa de ti y cómo influye eso en tu relación. Sé fuerte y enérgico al respecto tanto como puedas y ofrece recomendaciones. Idealmente, tu pareja estará disponible para tus esfuerzos por mejorar la naturaleza de la relación. Si la persona en cuestión no lo está, generalmente puedes intentar con terapia de pareja para mejorar la reciprocidad.

Conciencia plena y meditación

El afecto es un estado mental para vivir que te alienta a ser cada vez más abierto, atento y considerado. Incluye coordinar deliberadamente tus opiniones lejos del piloto automático y la mala toma de decisiones sobre tus ideas, lo que te permite estar cada vez más presente y asociado con lo que esté sucediendo en este momento. No es difícil imaginar que individuos cada vez más reflexivos puedan mejorar la relación de pareja. Además, actualmente hay un claro apoyo en literatura científica para estas relaciones. Una meta-investigación distribuida en el Journal of Human Sciences and Extension hace un año descubrió que cantidades más elevadas de afecto anticipan relaciones más alegres y gratificantes.

¿El afecto realmente causa mejoras en las relaciones?

Antes de continuar, es fundamental tomar nota de que de las 10 investigaciones que se incorporaron, solo dos contenían una investigación sobre el afecto. Los otros simplemente estudiaron el afecto y la felicidad en la relación y encontraron una conexión positiva entre ellos (investigaciones correlacionales). Esto plantea el problema del huevo y la gallina. ¿Las relaciones más felices nos hacen sentir cada vez más considerados y abiertos, o es al revés? A pesar de que no sabemos sin lugar a dudas que el afecto produce una mejora en la relación, en cualquier caso dos investigaciones demuestran que sí. En cualquier caso, ¿por qué? La respuesta apropiada puede estar en cómo el afecto influye en el cerebro.

Las siguientes son cinco maneras en el cerebro mediante las cuales practicar actitudes afectuosas puede permitirte tener relaciones más felices:

1. El amor mejora el patrón de sentimientos

Los estudios demuestran que expresar afecto fortalece la corteza prefrontal y mejora la disponibilidad entre la corteza prefrontal y la amígdala. La corteza prefrontal es el foco oficial del cerebro y puede causar una impresión en la amígdala que revela que las cosas están bien y puede relajarse y detener la reacción de "lucha, huida, parálisis". Entonces, a pesar de que empecemos a perder la paciencia o a abandonar a nuestras parejas cuando están muy involucrados en la discusión, podemos decir "¡Alto! Esto no es útil" y de esta manera evitar caer bajo.

2. El afecto nos anima a ser cada vez más atentos y conscientes

La gran mayoría de nosotros nos damos cuenta de lo decepcionante que suele ser tratar de conversar con una pareja que revisa continuamente el correo electrónico o los mensajes o cuya atención es constante en los problemas laborales. El afecto cambia las partes del cerebro relacionados con la coordinación de la atención y el interés central. De esta manera, el afecto puede permitirnos ver cuándo estamos en piloto automático y desviar la atención sobre lo que nuestro compañero está diciendo o lo que podría sentir y necesitar. Esto puede permitirnos ser más valiosos y presentes en nuestras relaciones, lo que ayuda a la crear intimidad y hace que nuestras relaciones sean más alegres y más unidas.

3. El afecto nos hace cada vez más empáticos.

El afecto también cambia la ínsula, una parte del cerebro relacionada con la simpatía y la empatía. Esto puede permitirnos comprender mejor los puntos de vista y sentimientos de nuestra pareja y sentir más simpatía por ellos. Cuando nos acercamos a nuestra pareja con empatía, en lugar de resentirnos y querer controlarlos, esto puede llevar la discusión de una manera positiva. La simpatía además nos anima a expresar afecto y calidez a nuestra pareja, lo que genera cercanía. El afecto genera maneras de contrarrestar actitudes evasivas.

4. El afecto mejora la atención plena

El afecto también provoca cambios en la corteza, que está relacionada con nuestro sentimiento de ser y modula la expresión de nuestros sentimientos. De esta manera, el afecto nos puede permitir ver cuándo nuestra conducta es poco deseable y poder dirigir nuestros pensamientos hacia cómo nos gustaría actuar y cuáles son nuestros principios motores. Esto puede permitirnos controlar la motivación para actuar de forma agresiva o manipuladora. Podría permitirte levantarte y lograr algo diferente cuando te sientas atraído a entrar en la PC de tu pareja o acecharlos en la web.

5. El afecto reduce la reactividad emocional negativa

Los estudios sobre el afecto demuestran que demostrar afecto durante 8 a 10 semanas cambia las regiones del cerebro que guían las emociones. La amígdala es una pequeña pieza del cerebro con forma de almendras que pone el cerebro en el modo "lucha, huida, parálisis" en el que comenzamos a considerar que somos un peligro para nuestra bienestar o autosuficiencia y, naturalmente, nos cerramos completamente o comenzamos a agredirlos con palabras y conductas violentas. El afecto reduce el volumen de la amígdala, lo que implica que tiene menos capacidad para atraparnos en el modo de "peligro". Esto puede ayudar a las parejas a escapar de los ciclos negativos de peleas o rompimientos de relaciones.

En general, necesitamos relaciones más alegres, sin embargo, pocos de nosotros sabemos las claves para la felicidad en la relación. En lugar de concentrar energías en refunfuñar o intentar cambiar a su pareja, expresa tu afecto. Mucho mejor, Tomen terapia juntos o practiquen la meditación utilizando la expresión del afecto. Esto le permitirá estar cada vez más presente, valorar y desarrollarse mutuamente. Además, ¿quién puede oponerse a eso?

Deja salir tus emociones

Suceden cosas peculiares cuando nos herimos. Herirse es una propensión dolorosa; posteriormente, es un buen augurio que reaccionemos con tristeza cuando un compañero de vida o un pariente (modelos disfuncionales, te lo garantizo) nos ofenden. Sea como fuere, en lugar de llorar por nuestro problema en tales casos, ¡estamos innegablemente obligados a atacar con violencia! Imagínate.

Siendo las cosas como son, nuestra respuesta es razonable. La indignación tiene dos variaciones: desagrado esencial e indignación selectiva. La molestia esencial ocurre cuando se cruza un límite. La infracción muestra la furia como un mecanismo de defensa para preparar una reacción viable. Por ejemplo, si observamos que la ira tiene dos variaciones; un acosador siguiendo a nuestra novia tira de su cabello con fuerza, nuestra furia de momento nos permitirá hacer movimientos rápidos para abordar la circunstancia. Algo muy similar sucede cuando no se tienen en cuenta nuestros propios límites en la crianza de los niños: imagínate a un niño que no se sintoniza con sus padres. Todo lo que hay dentro de los padres dice que esta situación no está bien, y la furia sube regularmente a la superficie ("¡tienes que sintonizar con tus padres, jovencito!"). En esta circunstancia, sea como sea, tenemos que aplacar la molestia y calmarse un poco para pensar en el mejor y adecuado arreglo para la crianza de los niños.

La molestia selectiva, por brutal que sea en algunos casos, es, en su principio, una herida emocional en lugar de una señal. Aquí y allá, llamado "indignación receptiva", es una reacción emocional frente a un sentimiento natural. El sentimiento no adulterado está dañado. En el momento en que un individuo se siente herido, la persona puede reaccionar con indignación. En realidad es lo mismo que si el individuo reaccionara golpeando el saco. En el caso anterior (cuando un individuo se angustia), la reacción es de naturaleza emocional; En el último caso (cuando el individuo golpea el saco), la reacción es de naturaleza social. En los dos casos, la inclinación genuina que se experimenta es perjudicial.

Deberíamos imaginar a un cónyuge diciendo algo dañino para su esposa (una vez más, es posible que deba considerar algo que lea en algún lugar ...). Cuando las palabras salen de su boca, ella siente una herida en su corazón. Es instintivo Daña

Esposa: "¡Tengo una buena idea! ¿Por qué razón no hacemos una excursión familiar? ¡A los niños les encantaría!"

Cónyuge: "¿Alguna vez piensas antes de abrir la boca?"

Actualmente, me doy cuenta de que puedes preguntar por qué el cónyuge diría algo como eso, pero recuerda que el matrimonio es imprevisible, y pocas cosas son lo que parecen ser desde el principio. Para esta situación, por ejemplo, esta pareja ha estado hablando de la terrible preocupación relacionada con el dinero del cónyuge a mitad mes debido a mala administración del mismo en casa. Él ha comunicado su temor de tener problemas cardiacos por toda la presión que siente. Con la ayuda del instructor, han llegado a un acuerdo de que la esposa, durante los siguientes dos meses, se abstendrá de solicitar que el cónyuge gaste dinero en cualquier "artículo adicional" para la familia. Sin eso, los gastos serian instintivos. Duele. Pensando, sea como fuere, la esposa actualmente plantea enérgicamente la posibilidad de una excursión familiar, que necesariamente incluirá algún costo. De allí, la respuesta ardiente del esposo.

Su propia conducta, en cualquier caso, la esposa se tambalea atormentada. "¿Cómo puede hablarme así? ella reflexiona. Se siente rechazada, abatida, maltratada y extremadamente herida. Entonces abre la boca y comienza a gritarle a su esposo. "¿Cómo pudiste HABLARME ASÌ? ¿PIENSAS ALGUNA VEZ ANTES DE ABRIR TU BOCA? ERES MEZQUINO, REPUGNANTE, DESPRECIABLE...". Eso es indignación selectiva.

Los expertos nos revelan que la indignación es una inclinación peligrosa. La indignación puede causar enormes heridas profundas, al igual que un daño emocional, mental y físico. Provoca numerosas complicaciones, incluidos los delitos peligrosos hacia personas con palabras, violencia física, utilizar lenguaje ofensivo y muchas otras. La molestia selectiva es el tipo más peligroso de todos, ya que, es como si tuvieras lesión abierta, uno probablemente atacará con todo el poder del dolor emocional. Las palabras una vez expresadas verbalmente no se pueden retirar. ¿Quién sabe cuántas relaciones rotas son el efecto de los corazones rotos por el abuso verbal que reacciona?

Para mantener una distancia estratégica de un resentimiento reaccionario, debemos prepararnos para mantener nuestras bocas sólidamente cerradas en cualquier punto que nos duela. Ofrece una recompensa importante a las personas que pueden alcanzar esta actitud. Esa recompensa ocurrirá en una próxima ocasión, sin embargo, hay compensaciones adicionales que suceden directamente, en este momento. Con la boca cerrada, no puede convertirse en un instrumento destructivo. Nos salvamos de una herida profunda. Además, nuestras relaciones más significativas se salvan de un rompimiento. Podemos aliviarnos, calmarnos e investigar la circunstancia más rápidamente a la luz del hecho de que no hemos empeorado las consecuencias de la ira. Podemos comenzar a ver los errores de nuestros propios modales específicos, recogiendo, analizando y mejorando por lo tanto. Además, estamos listos para pensar y dar sentido a los pasos que se deben tomar para corregir las circunstancias. ¡Es todo genial!

Para convertirse en un experto en discreción, practica el Podemos aliviarnos a nosotros mismos; mantener la boca cerrada en episodios menores y ordinarios cuando necesitas "responder", contrarrestar o tener la última palabra. A medida que muestres signos de mejora y progreso en esta experiencia, terminarás preparado para enfrentar mayores dificultades, hasta que finalmente tengas la opción de mantener la boca cerrada en el instante exacto en que te hieren, independientemente de lo lastimado que te sientas. Y después de eso satisfarás lo que dicen los Proverbios: "¿Quién es fuerte? ¡El prudente!"

Redefiniendo Perspectivas

¿No son las relaciones como una brisa? Nadie dijo, nunca. Seamos honestos, somos animales complejos y cuando estamos juntos con otro animal complicado podemos obtener un arco iris de resultados increíbles y desconcertantes. Llegar a la parte significativa de entender que vivir en pareja no es algo simple y el las peleas, bueno, en general siempre dejarán una huella. Nuestra vida realmente puede sentirse como sobrevivir a una batalla: en general, conocemos la sensación.

¿Qué, sin embargo, pasa después de que la tempestad de la separación se haya calmado? En medio de las relaciones, nos unimos, nos apareamos y, en algunos casos, incluso hacemos (otras personitas) así que a medida que avanzamos por caminos separados, ¿qué pasa con esas no tan pequeñas cosas? Enormes o pequeños, las cosas que hacemos juntos tienen vida y un resultado mental y físico de vez en cuando (niños, hogar... cosas). Aislar nuestro tiempo y nuestras cosas para proporcionar alimentos para la permanencia de una relación es el tipo de matemática más extremadamente horrible del planeta... ¿Quién recibe qué y cuándo? Es regularmente difícil e inconstante.

Lo que pasa con nosotros, las personas, es que, en general, le daremos mucha importancia a nuestras relaciones; nos esforzamos por tener una pareja de por vida y siempre recordamos a nuestros seres queridos, independientemente de cómo 'ocurrió'. El problema es que muchas relaciones no duran para siempre entre el tornado subyacente de sentimientos profundamente cargados y el desarrollo del mundo real; Ofrecer tu vida a alguien más es realmente algo desgarrador. La cuestión es que, cuando el amor se va y las relaciones se separan, tenemos opciones, podemos elegir cómo responder e incluso proceder a ser amigos después de las separaciones más feroces y ásperas. Es difícil, sin embargo, es muy ventajoso y si hay niños en medio de una separación, en ese punto es más imperativo elegir un plan de crianza de hijos que genere respeto y sensatez; ningún niño tiene derecho a quedarse atrapado en medio de dos adultos en guerra.

Las relaciones llegan a su fin por una amplia gama de razones y una parte de esas razones puede ser terriblemente terrible; la infidelidad es un jugador notable con respecto a las razones de la separación y no hay incertidumbre, descubrir otros hijos a partir de tal circunstancia es desconcertante. Si no tienes hijos, entonces no hay razones para continuar con la unión con un sinvergüenza, pero si tienes hijos... Bueno, es una decisión dura, pero es posible y favorable; hacer algo que proteja a tus hijos del abandono de una separación. El perdón es una de las cosas más difíciles pero más reparadoras y si implica armonía para su familia, en ese momento es el mejor enfoque para seguir adelante.

Descubrir algunos puntos de vista compartidos es un buen comienzo para avanzar hacia otra perspectiva en las relaciones. Donde una vez hubo afecto, hay recuerdos y eso significa algo cuando intentas encontrar un amigo después de la separación. Concentrarse en lo grandioso y lo positivo puede abrir un universo de posibilidades de ser amigo de un ex y, en realidad, se sabe que la amistad sin el sexo o la vida en común crea parentescos de por vida. Repensar su relación con alguien que alguna vez amaba no tiene por qué ser una imposición o una carga.

De todos modos, ¿cómo abordaríamos repensar una relación? Las tres C...

Consideración: tener empatía realmente nos anima a interactuar. Probablemente no comprendamos ni siquiera coincidiremos con las actividades o el punto de vista de alguien, sin embargo, intentar ver algo desde su perspectiva por un momento es una necesidad absoluta para avanzar.

Comunicación: numerosas parejas dejan de conversar durante su relación y es simplemente después de eso que pueden reconectarse y realmente escucharse mutuamente.

Convenios: comprometerse en algunos puntos con respecto a la reconexión con un ex hace un comienzo bastante menos irritable. Hay un dicho increíble al respecto: " No pida más a un hombre (o mujer) de lo que él (o ella) puede dar". Mantener los deseos razonables y ser transparentes con un ex puede generar confianza y consideración al igual que establecer límites para que todos sepan a qué atenerse.

En cuanto a la evidencia, lo soy. Actualmente, mi ex y yo somos grandes compañeros y criar a nuestra pequeña niña mientras no estamos juntos termina estando cargada de felicidad. Llegar a la Navidad juntos, organizar un espléndido fin de semana de cumpleaños para ella y estar allí como un equipo para ella es nuestra única necesidad, sin embargo, las ventajas de pasar el rato y reírse también son una recompensa. En una sección del New York Times Modern Love titulada "Joyfully Ever, After We Split", Wendy Paris refuerza el avance de la relación con su conyugue a través del proceso de separación y cómo el aislamiento los unía.

Gwynny y Chris de Coldplay se separaron con su frase popular, 'desacoplamiento consciente' que, en ese momento parecía ser bastante dudoso (y sonaba un poco presumido), sin embargo, en realidad, es lo que está sucediendo.

Desacoplarse con la belleza y seguir adelante como amigos... El día de hoy, 'alegremente para siempre'.

Escucha a otros

En general, en todas las relaciones hay un individuo que habla y otro que escucha. Sea como sea, ¿está realmente escuchando?

El objetivo de la escuchar profundamente es obtener datos, comprender a un individuo o una circunstancia y experimentar satisfacción felicidad. La atención total está ligada a decidirse por una elección consciente de escuchar lo que los individuos están diciendo. Está relacionado con estar totalmente centrado en los demás, sus palabras y sus mensajes, sin estar distraído.

Se dice que una de las razones más ampliamente reconocidas por las cuales las personas consultan terapeutas es que escuchen sus argumentos. Para que tu historia sea escuchada, necesitas una audiencia. Las habilidades de escuchar y de empatía son signos de buenos comunicadores, líderes y terapeutas. Las aptitudes para escuchar se pueden adaptar, sin embargo, en realidad, algunas personas simplemente serán en general miembros preferidos de la audiencia sobre los demás.

La importancia de escuchar en las relaciones de pareja no puede exagerarse. Una investigación demostró que hay dos maneras diferentes de escuchar: "escuchar para comprender" y "escuchar para reaccionar". Aquellos que "escuchan para comprender" tienen un desempeño más sobresaliente en sus relaciones de pareja que otros. Si bien las personas pueden darse cuenta de que pueden escuchar para comprender, lo que realmente están haciendo es esperar para reaccionar.

Además, cuando las personas intentan "arreglar" a otras personas, con frecuencia reaccionan a su propia necesidad de pelear. Un estudio similar demostró que las parejas que han recibido terapia juntas son mejores oyentes porque pueden aplicar directamente consejos a sus relaciones. Se dice que, por regla general, las mujeres deben ser escuchadas, y los hombres deben arreglar o reaccionar.

Según lo indicado por los médicos, escuchar de manera dinámica o profunda es el núcleo de cada relación sana. Además, es el mejor método para el crecimiento y el cambio. En general, las personas que se escuchan serán cada vez más abiertas, la mayoría guiará cada vez más a su manera, y regularmente serán menos reservadas. Los miembros de la pareja dejan de tomar decisiones y otorgan un dominio protegido y un apoyo para los que hablan más que lo que escuchan.

Al escuchar con cautela cuando alguien habla, les revelamos que nos importa lo que dicen. También es imperativo recordar que escuchar es infeccioso. Cuando sintonizamos con otras personas, en ese momento es probable que estén más dispuestas a escucharnos.

Afortunadamente, podemos descubrir cómo ser mejores miembros de la pareja; no obstante, escuchar requiere práctica. Cuanto más lo hagamos, mejor lo haremos, y más constructivas serán nuestras relaciones de pareja

Aquí hay algunos consejos para mejorar como escuchar:

Observa el tono y la enunciación del hablante.

Desarrollar empatía.

Abstenerte de tomar decisiones.

Repite con tus propias palabras lo que alguien te ha hecho saber (reflexión compasiva).

Reconoce que estás escuchando haciendo un gesto o diciendo "Uh-huh".

Ponte dentro del cerebro del hablante.

Centrarte en la comunicación no verbal.

Observa los ojos de los demás cuando están hablando.

Concéntrate en los sentimientos relacionados con las palabras.

De vez en cuando, haz un bosquejo de los comentarios de los demás cuando tengas la oportunidad.

Escucha la importancia.

Para convertirte en un comunicador convincente, tienes que descubrir cómo escuchar la misma cantidad de la misma manera que tienes que averiguar cómo hablar. Sorprendentemente, muchas personas se centran más en hablar que en la escuchar. Independientemente de si en una discusión individual o en una reunión en el aula, concentrarte en lo que otros están diciendo te permite presentarse a tí mismo más adecuadamente. Cuando escuchas con eficacia, también descubres más.

Echa un vistazo a la sala durante una charla, presentación o sala de descanso. Las indicaciones de personas que no escuchan están por todas partes. Algunas personas ponen una mirada clara que debe ser retratada como su "cara de protector de pantalla" (en las expresiones de uno de mis asociados). Reconoces a qué se parece esa cara de protector de pantalla: es esa mirada evidente donde los ojos son opacos y no miran a ningún lado y la cara definitivamente no tiene ninguna expresión por ningún concepto. Además, observarás personas en una reunión o grupo de espectadores que no se fijan en el orador por nada del mundo. En realidad, miran a cualquier otro lado.

Juegan con su lápiz o miran ansiosamente su teléfono móvil o incluso intentan echar un vistazo a su pantalla. Si hay una ventana en la habitación, miran al cielo, independientemente de si la vista es solo la del edificio vecino. Un orador increíble puede encantar incluso a la parte más testaruda del grupo de espectadores. El orador, compañero, pareja o pariente normal puede experimentar serias dificultades para conseguir que le miren los miembros de la audiencia reunidos que no tienen idea de cómo ensayar las aptitudes para escuchar esenciales.

Si somos los oradores, necesitamos que otros escuchen. Entonces, ¿por qué razón no podemos muchos de nosotros jugar el juego al revés? Es concebible que la vida basada en Internet esté haciendo que numerosas personas pierdan su capacidad de concentrarse. En general, la audiencia normal requiere un cambio en el estímulo después de unos 20 minutos. Sea como fuere, con mensajes rápidos que llegan desde Facebook o Twitter o notificaciones de juegos en la web, muchas personas requieren un cambio de estímulo después de unos 15 segundos. Excepto si tienes ese toque magnético, experimentarás considerables dificultades para luchar contra las carencias de atención de tu grupo.

El problema con los miembros inatentos de la audiencia no es solo que son vistos como descorteses sino que se les escapa información significativa. Las investigaciones sobre el impacto destructivo de realizar múltiples tareas en el aprendizaje de los alumnos demuestran que los alumnos que enviaron mensajes en sus teléfonos celulares, chatearon, actualizaron su estado de Facebook y enviaron mensajes de texto tuvieron evaluaciones menos afortunadas que las personas que escucharon direcciones sin distracción. Como lo indica la "hipótesis del cuello de botella psicológico", propuesta por el clínico Alan Welford en 1967, puedes procesar una gran cantidad de datos en el doble antes de que tu aprendizaje comience a desarrollarse.

Volviendo al punto de desconsideración de los problemas para escuchar, las personas que no escuchan del mismo modo parecen tener habilidades sociales menos afortunadas cuando todo está dicho. En un examen llevado a cabo en Louisiana, se descubrió que los estudiantes con mal rendimiento identificaron como "escucha empática dinámica" obtuvieron puntajes más bajos en un grupo de habilidades sociales. Ser un público inatento está relacionado con una afectación social y emocional más desafortunada. Este fue un estudio correlacional, obviamente, por lo que no podemos decidir la causalidad. También puede haber un tercer (o más) factor que influye tanto en escuchar como en las habilidades sociales. Dejando a un lado estas calificaciones, los resultados son interesantes.

Otra calificación es la forma en que se trataba de una prueba de pregrado y, de hecho, no era un agente de la población. En cualquier caso, se podría afirmar que es especialmente difícil para las personas adquirir aptitudes para escuchar cuando se encuentran en el período avanzado de la edad adulta. Las aptitudes sociales que se aprenden a finales de la juventud y a mediados de los 20 años permanecen contigo durante toda la vida y pueden afectar la naturaleza de tu vida. Si no desarrollas tus aptitudes sociales en tus primeros años de crecimiento, tendrás más dificultades para obtener una nueva línea de trabajo, una pareja sentimental y un grupo de personas alentadoras que necesitarás a medida que avanzas en la edad adulta. . Incluso puede ser un representante de ventas cada vez más exitoso, si esa es la profesión que eliges buscar.

Validación

Cuando pensamos en lo que podemos hacer para mantener nuestra relación, consideramos regularmente los atributos físicos. Consigue unos anillos de diamante. La llevas a una rica cena. La sorprendes vistiendo tu mejor ropa. Compras flores y chocolate. Dan un paseo romántico. Si bien estas cosas seguramente no dañarán tu relación (¡para nada!), En realidad no son los indicios más sólidos para unirte a un ser amado.

La parte más profunda tiene más que ver con cómo colaboran juntos en comparación con lo que hacen juntos. Se llama validación. La validación confiable y emocional de los pensamientos y sentimientos de tu pareja es lo mejor que puede hacer para su relación.

Recuerda cuando te sentiste verdaderamente comprendido. Tal vez fue un orientador en la escuela que parecía saber exactamente que decir cuando estabas molesto. Quizás fue tu mejor amigo quien dejó todo cuando llamaste con buenas noticias y estaba ansioso por compartir tu felicidad. Recuerda la última vez que realmente te sentiste escuchado, comprendido y en sintonía. Es una sensación asombrosa, ¿Quién diría que no?

La validación en tu relación es un concepto similar. Implica que cuando tu pareja te informa con respecto a su día, o te habla sobre sus sentimientos, tú te quedas con él/ella en ese momento, respetando su experiencia. Te unes a su realidad y ves las cosas desde su perspectiva. Es un método para demostrar que comprendes y reconoces sus observaciones y emociones tal cual son. Investigaciones han demostrado que tener este tipo de experiencias con tu pareja le ayuda a sentirse menos molesta y menos impotente, aunque las prácticas de negación hacen lo contrario; hacen que tu pareja se sienta escrutada, rechazada o desdeñada por ti.

Las mejores relaciones son aquellas en las que los dos miembros comparten su mundo interno entre sí, sus pensamientos, sentimientos y deseos verdaderos, y donde su pareja , por lo tanto, realmente puede escucharlos. Cuando compartes un estilo de comunicación positivo, creas confianza e intimidad. Estas son los lazos que hacen que las relaciones duren.

Si bien la idea de validación puede parecer básica, de vez en cuando puede ser algo difícil de ejecutar. Imagina que tu pareja regresa a casa y te revela que está furioso (a) porque tiene que trabajar durante el fin de semana. ¿Cuál es tu primera reacción? Un gran número de nosotros se pondría a la defensiva de nuestro compañero de vida, o al calor de la circunstancia, tendrían el deseo común de intentar ayudar o solucionar la circunstancia. Puedes ofrecer ideas sobre forma más competente para abordar el problema. Si bien, naturalmente, sientes que ayudas al hacer propuestas, esto puede sentirse como si dudaras de tu pareja. Es posible que tu pareja no esté buscando ayuda con una respuesta: lo más probable es que haya intentado descubrir formas de resolver el problema y se sientan cada vez más decepcionados al escuchar tus consejos, independientemente de cuán grandes sean sus expectativas.

Entonces, ¿cómo te sintonizarías y aprobarías a tu pareja ? Hay un par de partes clave para ayudar a dirigir sus discusiones.

1. Plantear preguntas. Si tu pareja te presenta un problema o una circunstancia difícil, intenta descubrir cada vez más cómo se siente y qué necesita haciendo preguntas abiertas. "¿Qué deseas que ocurra?" "¿Cuál fue tu respuesta a eso?" "¿Cómo te sientes acerca de las cosas actualmente?" Hacer preguntas con delicadeza para aclarar su experiencia puede ser excepcionalmente gratificante para ellos. Demuestra que le prestas atención y necesitas escucharlo realmente.

2. Reconocer y tolerar es la siguiente etapa en la validación. Esto implica que reconoces lo que han dicho o lo que están sintiendo. Puedes decir: "Puedo ver que estás molesto por esto" o "Pareces estar desanimado" debido a la noticia sobre el trabajo durante todo el fin de semana. En lugar de intentar alegrar a tu pareja, le das espacio para que se moleste.

3. Demuestra que lo entiendes. Utiliza explicaciones de aprobación, por ejemplo, "Yo también me sentiría de esa manera" o "Me parece bien que se sientas de esa manera dadas las circunstancias" para decirles que ven por qué sienten la manera en que lo hacen. También puedes indicar la validación con palabras no verbales, por ejemplo, abrazarlos si se sienten desolados, prepararles un té si se sienten nerviosos o darles espacio si necesitan tiempo para pensar.

4. Escuchar atentamente es la parte principal de la validación. Esto implica que realmente te enfocas en lo que dice tu pareja. Por difícil que sea, detén tus propias opiniones y respuestas a la circunstancia o tema. Incidentalmente, deja de lado la necesidad de incitar, cambiar, ayudar o arreglar las circunstancias. Tus propias reflexiones se reservan para más tarde; más bien, tu centro está ubicado en la participación actual de tu pareja. Muestra que estás sintonizando deteniendo lo que

estás haciendo (apagar la PC, apagar la TV), sentarte con ellos, gesticular y mirar mientras hablan.

5. La aprobación no se aproxima a estar de acuerdo. Un atributo importante es que puedas reconocer los sentimientos de tu pareja, sin embargo, no significa que tengas que estar de acuerdo con ellos. Por ejemplo, indica que van a ver una película juntos. Posteriormente, examinas tus opiniones sobre la película. Tu pareja pensó que era atrayente e interesante, mientras que tú pensaste que era cansona y poco sorprendente. Puedes aprobar su perspectiva diciendo: "Parece que realmente te gustó la película. No fue mi opción favorita, pero puedo decir que te divertiste mucho viéndola". En este modelo, estás reconociendo la satisfacción de tu pareja, sin tener una opinión similar.

Por último, se trata de la forma en que colaboran juntos, significativamente más que lo que hacen juntos. Además, puede tener un efecto significativo en tu relación.

Capítulo 4 - Romper los patrones

Negación

Muchas personas tienen una variedad de prácticas de auto sabotaje que les impiden manifestar la vida que necesitan. La fase inicial para vencer las prácticas de auto sabotaje es recordarlas inicialmente. Una de las prácticas de auto sabotaje más dominantes es la negación.

La negación es un sistema de barreras que libera inquietud y angustia emocional. Al negar que haya un problema, no necesitamos sentirnos mal porque existe un problema. Lamentablemente, esto no resuelve nada ni mejora nuestras vidas. Simplemente oculta nuestros problemas donde nadie pensará mirar. Aún están ahí. Todavía nos preocupa y todavía nos detiene.

A veces negamos nuestro propio bienestar cuando no reconocemos y extendemos un problema que actualmente nos afecta. Trágicamente, cuando es evidente que hay algo que nos afecta, algo que nunca más podemos negar, se convierte en un problema considerablemente más difícil de determinar de lo que lo habíamos reconocido y confrontado cuando apareció previamente.

Un tipo de negación es refutar que nuestras prácticas realmente nos auto saboteen. Por ejemplo, cuando llegamos tarde a una reunión, podemos decirnos a nosotros mismos que no habrá ninguna diferencia, que aceptarán la razón que damos y que no habrá ningún resultado negativo. Sin embargo, esto generalmente no es cierto. Cuando lleguemos tarde a las reuniones o no regresamos a casa temprano, terminarás arruinando tu reputación con el tiempo y no podrás recuperar el mismo respeto que alguna vez tuvieron por ti.

Viviendo en el pasado

Vivir en el pasado y no reconocer lo que sería inevitable es un tipo de abandono. Independientemente de si crees que la marihuana debería ser autorizada y si crees que el matrimonio homosexual debería ser aprobado, lo que sería inevitable es que estas cosas sucedan algún día y negar esto y luchar contra esto es un ejercicio extremadamente inútil. Energía y recursos que podrían gastarse mejor en otro lugar.

Otro tipo de negación es objetar que el perdón, el reconocimiento y el amor tengan la capacidad de mover montañas. La gran mayoría acepta que la ira y la hostilidad son la mejor manera para resolver los problemas. A corto plazo, esta puede parecer la situación, sin embargo, a largo plazo, ciertamente no lo es. El amor es un poder fenomenal que puede provocar cambios. En el momento en que dos individuos luchan entre sí, si un individuo puede trascender la zona de guerra y expresar un reconocimiento, perdón y amor genuinos obvios, generalmente puede liberar todo el cinismo y restablecer la armonía en la relación.

Mucha gente cree que el perdón es una señal de debilidad. Ellos no aceptan que el sereno logrará todo lo que considere fundamental. Esto es negación. El perdón es un indicador de increíble calidad y poder individual. La supervivencia del más apto algún día demostrará ser la supervivencia, no del más apto físicamente, sino del más profundamente apto: las personas que deciden no luchar y más bien exigen encontrar objetivos serenamente.

Nos dañamos con la negación y de diferentes maneras también a la luz del hecho de que, a un nivel inconsciente, estamos cargados de culpa, desgracia y odio hacia nosotros mismo. En un nivel inconsciente, aceptamos que somos indignos y no merecedores de alegría, bienestar y logros, y que nuestra personalidad intuitiva, aceptando lo que somos nosotros mismos en un nivel inconsciente, aceptando que merecemos disciplina y no recompensas, manifiesta en realidad "la verdad "al hacernos hacer cosas que nos frenan y producen decepción.

Acusar a otros y vernos a nosotros mismos como víctimas

Shakespeare expresó una vez: "¡La culpa, querido Brutus, no es de nuestras estrellas, sino de nosotros mismos que consentimos en ser inferiores!". Por lo tanto, un tipo de negación sentiría que el problema se encuentra fuera de nosotros mismos y que somos víctimas de un universo amenazante y tumultuoso fuera de nuestro control, en lugar de que seamos los principales motores de nuestro destino.

Este es un tipo de negación extremadamente sorprendente, acusar a otras personas y condiciones de nuestras dificultades. Por ejemplo, cuando chocamos y nos involucramos un accidente automovilístico, tendemos a considerarlo un accidente cuando es realmente la consecuencia de nuestra distracción y, en general, acusaremos al vehículo que tenemos delante por detenerse inesperadamente.

Es habitual acusar a otros y no asumir responsabilidad por nuestras acciones. Habitualmente cuando las parejas pelean, un compañero acusará al otro compañero, expresando que "Me hiciste enojar. Me hiciste arrojar la tostadora contra la pared. Me hiciste gritar. Me hiciste golpearte. Si no me hubieras hecho enojar". "si no hubieras empujado a golpearte; si no me hubieras llamado de esa manera; si no me hubieras provocado, en ese momento no habría actuado de esa manera". Negar esta situación es renunciar a la posesión. No hace diferencia si somos provocados. Tenemos la decisión de continuar de manera positiva y respetable o no, y si no lo hacemos, y no lo dejamos salir, estamos tratando de pretender ignorancia.

La negación es normal en los borrachos y los adictos. "Si simplemente tomo un trago , generalmente no importará. Tendré la opción de lidiar con ella, no se convertirá en un problema difícil". Los alcohólicos y los adictos se revelan esto a pesar de tener un trasfondo marcado por una bebida o un medicamento que se convirtió en un problema importante.

Otro tipo de negación con respecto al licor y los medicamentos es que las personas generalmente se persuaden de que otras personas no se dan cuenta cuando están drogadas. Por lo general, este nunca es el caso. La gran mayoría puede saber cuándo otras personas están bajo la influencia.

Somos deliberadamente ignorantes cuando abusamos de otras personas y nos decimos que lo superarán, que no nos van a dejar. En su mayor parte, en algún momento u otro, lo hacen, y cuando lo hacen, con frecuencia no hay muchos problemas, una cantidad excesiva de desdén e indignación desarrollada para que se arregle la relación.

Intentamos cobijarnos en esta supuesta ignorancia cuando continuamos posponiendo una rutina alimentaria sana y el ejercicio. La parte de la negación no es que estemos negando que se trata de actividades importantes, sino que algún día no se controlar y nos llevará a la muerte. Negamos los resultados a largo plazo de nuestras acciones.

Matando al mensajero

Cuando alguien nos dice algo que preferiríamos no escuchar o lidiar, descubrimos maneras de atacarlos y refutarlos con el objetivo de que no necesitemos reconocer que han dicho algo cierto. Podemos revelarles que "Tú también lo haces". Por lo tanto, esto nos permite evadir la importancia de reclamar que estemos en la misma propia casa todos juntos prestando poca atención a la forma en que otras personas se comportan.

Ver a alguien cuando le decimos a nuestra pareja que "no tengo ningún problema. No tengo necesidad de molestarme con escuchar lo que dices. Tú eres el que tiene el problema, no yo. Tú eres la persona que necesita tratamiento, no yo", esto es negación profunda y es un indicador confiable de problemas de una relación que nunca se remendará y con toda probabilidad algún día se desmoronará. Este es otro caso de matar al mensajero.

Otro tipo de negación se clasifica como "Negación previa" lo que significa que prejuzgamos y descartamos un pensamiento sin evaluarlo primero para decidir si puede tener legitimidad. "Eso no es ponerse manos a la obra". "Es una actividad de inútil". Estas son negativas obstinadas que no tienen premisa en la realidad, ya que realmente no hemos visto la información.

Otro tipo de negación es "hacer lo mismo y anticipar resultados diferentes". Algunas personas aluden a esto como locura.

Cuando se nos dice algo que es cierto que preferiríamos no escuchar o manejar y buscamos personas que nos den su apoyo y refuercen nuestra posición, esto es negación. El hecho de que podamos descubrir a muchas personas que nos digan que estamos en lo correcto no significa que estemos en lo correcto.

"Solo estoy bromeando" es un tipo de negación. Cuando le decimos algo a alguien que es espantoso y responde negativamente, nos retiramos y aseguramos que "estaba bromeando". A veces no es negación, nos damos cuenta de que no estábamos bromeando y que estábamos haciendo un comentario brutal, sin embargo, en muchos casos nos comprometemos a aceptar que realmente solo estábamos bromeando, solo estábamos presionando, no teníamos ninguna mala intención y que el individuo era en efecto excesivamente delicado. Esto nos impide observar nuestra conducta objetivamente y rectificarla.

Entonces, si la autolesión y la negación son simplemente el efecto secundario de la culpa, la infelicidad y el odio, en ese punto, la mejor manera de terminar con la autolesión y la negación es querernos y perdonarnos a nosotros mismos. La mejor manera de querernos y perdonarnos es apreciar a los demás, disculpar a los demás y lidiar con otras personas. Cuanto más hacemos esto, más enviamos el mensaje a nuestro subconsciente de que somos geniales, apreciando a las personas que merecen satisfacción y bienestar, y nuestro subconsciente cambia su motivación. Deja de enviar mensajes pesimistas en nuestros oídos, deja de instarnos a participar en prácticas de auto sabotaje y nos anima a atraer a personas y condiciones constructivas en nuestras vidas que gratificarán en lugar de negar.

Baja autoestima

La baja autoestima y el cinismo pueden dificultar el reconocimiento del compromiso y el auto-concepto, lo que puede hacerte sentir mal por las circunstancias y además evitar que asuma nuevos desafíos; por lo tanto, te impide tener relaciones satisfactorias en la vida. También puede destruir relaciones significativas. La baja autoestima, que influye en nuestros sentimientos, nuestros pensamientos y nuestra conducta, así como la imagen de cómo nos vemos y asociamos con nosotros mismos y con otras personas, puede ocurrir por algunas razones, incluida la insatisfacción de las personas que tú quieres, colocando tu autoestima en condiciones que están fuera de tu control, que cuando no salen de la manera que necesitas te hacen sentir como una decepción, y algunos problemas psicológicos, por ejemplo, trastorno límite de la personalidad y depresión.

Con respecto a la baja autoestima, hay algunas cosas que puede hacer para ayudar a vencerlo y ser la persona que estabas destinado a ser, que incluyen:

Devolver

Dar, ser voluntario y ayudar a otras personas que son menos bendecidas, no solo ayuda a quitarte la concentración a tus propios problemas, sino que además te hace sentir bien al darte cuenta de que estás ayudando a otras personas.

Lidia contigo mismo

Las cosas básicas como ducharte, cepillarte el cabello, usar prendas limpias, comer bien y ejercitar constantemente te ayudan a descansar tranquilo pensando en ti mismo. Expertos también señalan que la creación de su espacio vital agradable, limpio y atractivo también ayuda a mejorar tu actitud.

Rodéate de las personas adecuadas

La baja autoestima, por regla general, comienza de temprano en la vida debido a que no te gustan las figuras de autoridad. Por ejemplo, si siempre se le dijo que no estaba a la altura o si se lo juzgó por todo lo que hizo, puede evitar que se convierta en un adulto con una autoimagen positiva.

Intenta no compararte con los demás

Los psicoterapeutas advierten que las comparaciones solo conducen a una imagen negativa de tí mismo, lo que puede provocar una baja autoestima, estrés y tensión que, por lo tanto, pueden destruir tu trabajo, relaciones y bienestar físico y psicológico.

Conócete/ Conviértete en tu mejor amigo

A pesar de tus diferencias, tú eres valioso y tienes derecho a quererte. De esta manera, invierte energía en ti y reserva un esfuerzo para familiarizarte más contigo mismo, lo que te permitirá encontrar dónde eres único, extraordinario y meritorio, lo que te permitirá tener una mejor valoración de ti mismo. También puedes intentar hacer un resumen de tus logros y cualidades para ayudarte a recordar todo lo que has conseguido, y luego revisarlo en cualquier punto que necesites autoestima y necesites descansar tranquilo pensando en ti mismo.

Este es, además, un momento extraordinario para identificar y enfrentar cualquier perspectiva negativa que tenga sobre ti.

Repetir afirmaciones positivas

Del mismo modo, como las afirmaciones negativas, por ejemplo, tú eres inepto, pueden aceptarse, y también pueden ser negadas. En consecuencia, los psicólogos proponen que repitas las afirmaciones positivas que debes aceptar sobre ti mismo día a día para ayudarte a recuperarte a un período anterior a tu baja autoestima. De hecho, preguntar sobre esto demuestra que las afirmaciones positivas pueden incluso ayudar a disminuir los efectos secundarios de la depresión y el cielo es el límite desde allí.

Reconoce dónde necesitas cambiar

Nosotros como un todo tenemos problemas; No obstante, si no te das cuenta y reconoces dónde necesitas cambiar, puedes quedar atrapado en un ciclo interminable de baja autoestima, que se deteriorará a medida que intentes seguir huyendo de él. Por el contrario, ten en cuenta y reconoce dónde necesitas cambiar y luego toma el impulso para mejorarlo. Incluso puedes reclutar a un amigo o pariente para que te ayude.

Asimismo, debes ser consciente cuando te reprocha demasiado a ti mismo, y luego te aconsejas a ti mismo que no se trata de certezas, que te ayudarán a mantenerte alejado de los sentimientos negativos que pueden provocar un diálogo interno negativo.

En última instancia, las personas con una auto-gratitud positiva están dispuestas a progresar y tener relaciones cada vez más significativas, lo que significa que no dependen de fortalezas externas, por ejemplo, estatus o salario, para la autoestima, lo que les permite encontrar más alegría y tener una gran vida. De esta manera, sé consciente de a quién permites entrar en tu vida, así como las condiciones que permites tratar tu autoestima. También debes tener cuidado al tratar contigo mismo, incluidos el ejercicio y la alimentación sana, para ayudar a mantener tu cuerpo y su mente sanos.

Conformidad

Esta publicación ha sido extremadamente difícil de realizar. No con el argumento de que reflexionar sobre mi relación genera un muestrario completo de sentimientos: indignación; iluminación; decepción; molestia y ahora alivio, pero principalmente a la luz del hecho de que es extremadamente difícil articular ese momento. Es difícil verbalizar, de una manera que no me haga sonar dramático débil, a qué se parecía mi relación.

Si hay dos ejercicios clave que he aprendido, son los siguientes:

Las relaciones peligrosas pueden acechar sigilosamente a cualquiera.

Mi ex y yo estuvimos juntos por mucho tiempo. A pesar del hecho de que había algunos secretos en una etapa temprana, no les presté atención y nunca podría haber anticipado que nuestra relación resultaría de la manera en que lo hizo.

El abuso psicológico, y me modero en llamar a esto abuso, puede ser sin pretensiones y prácticamente difícil de analizar y rara vez inconfundible para los que están fuera de la relación.

Esto me llevó a dirigirme a mí mismo y a aceptar que todo era mi deficiencia y estaba en mi propia cabeza.

Aquí hay algunos puntos destacados de mi relación:

Su juicio fue constante.

Regularmente eran simplemente pequeñas cosas: no le importaba que mis uñas fueran excesivamente largas o pintadas a la luz del hecho de que "se ven como patas"; No era lo suficientemente comunicativa y activa con amigos en las reuniones; Debería hacer más ejercicio; deberíamos buscar la recomendación de su hermana para embellecer nuestra casa ya que "ella tiene un ojo extremadamente creativo". Es muy posible que tenga un ojo creativo, pero este era nuestro hogar, nuestro hogar, mi hogar y mi hogar. Dijo que era emocional y hormonal después del parto y que no estaba equipada para tomar una decisión razonable. Exigió pedir ayuda a mi madre, infiriendo que ella era apta para lo que yo no era capaz de hacer.

En retrospectiva las cosas eran completamente diferentes. El pretendiente perfecto era tipo: "Pen es un artesano excepcionalmente talentoso", "Pen fue impasible durante el trabajo".

A decir verdad, entenderlo ahora suena presuntuoso e insignificante, sin embargo, cuando se lleva a cabo la pequeña evaluación del día a día y sientes que cada detalle que se pasa por alto fácilmente podría utilizar una mejora en los ojos de tu pareja que no estás siendo considerado como un igual, y seguramente no estás siendo amado de manera correspondiente.

Utilizó tus 'sentimientos' para controlarme.

Mi ex dijo que "me culparía, resentiría y odiaría por el resto de nuestras vidas" si no aceptaba criar a nuestro hijo en la religión católica. Estas palabras, su rostro y el centro de recreación en el que estábamos paseando siempre estarán grabados en mi cerebro. En ese momento lloró. Dijo que nuestro hijo debía ser católico ya que su padre se había cambiado al catolicismo en su cama de muerte hacía catorce años.

Sin embargo, mi ex nunca va a la Iglesia, es un divorciado con quien me uní hace diez años para conseguirme una visa para permanecer en el Reino Unido, vivimos juntos y tuvimos un bebé sin su padre presente. Estas no son las conductas de un católico. En cualquier caso, no pude contradecir a mi ex en este punto ya que lamentaba la muerte de su padre. No pude dirigirme a él durante su increíble tristeza.

Bajó mis convicciones.

Mi ex gritó que mi falta de religión era 'un vacío', 'un hueco' en mí y que nunca podría ser capaz de interactuar o comprender completamente ser espiritual y aceptar.

Actualmente no me malinterpreten, es increíble cuando nuestras parejas pueden desafiarnos a discusiones intrigantes y ofrecernos mejores enfoques para observar el mundo. Esto es lo que necesito de una relación. No es increíble cuando te hacen sentir sin sentido, o tonto, o poco, o deficiente, o intentan alterar de manera confiable tu perspectiva sobre algo crítico para ti y en lo que tienes fe. Se deteriora cuando ignoran intencionalmente tus perspectivas, te desestiman a pesar de tu buena fe.

La receptividad a la nueva experiencia es increíble, sin embargo, una pareja controladora no considera que sea un camino en doble sentido, y solo necesita que tú se dé cuenta que eso es así.

Me cansaba tanto de pelear que necesitaba ceder.

Me mantengo alejado de las peleas. Yo sé esto. Tengo que mostrar signos de mejora en ello. Me agoté rápidamente de cualquier 'charla', así que cedería. La aceptación era más simple... hasta que llegó un problema en el que sus deseos eran tan incompatibles con mi marco de convicción y sus peligros eran tan obvios que no pude consentir más. Necesitaba terminarlo.

Tenía un temperamento aterrador.

Nunca me golpeó, sin embargo, regularmente golpeaba su mano contra la mesa justo en frente de donde yo estaba sentada. Si estuviéramos en el vehículo, lo aceleraría con fuerza para que los aparejos chirriaran y luego golpeara el pie con el freno. Anteriormente lo hizo desde el principio de la relación, la mañana después de que yo no hubiera subido al vehículo con él, ya que había estado bebiendo. Esa fue una pieza de información en esos días, una señal que pasé por alto. Lo hizo en enero hacía un año, mientras que nuestro bebé, Cygnet, estaba en la parte trasera del vehículo. En ese punto, fue excesivo.

Estoy fuera de la relación ahora. A fin de cuentas, estoy fuera de la relación en un sentido sentimental. Tendremos una relación de crianza por los hijos mientras ambos vivamos.

Lo que más me asusta actualmente es que no tendré la opción de emitir un juicio sobre si el siguiente individuo que conozca sea un tipo parecido de persona controladora. Me doy cuenta de que nuestra dinámica de control / sumisión me pasó por encima. La noción dañina de nuestra relación se me escapó. ¿Cómo no lo vi venir?

Esta es la razón por la que no creo que pueda considerar entrar en otra relación todavía. Yo no tengo la confianza en mi propia lucidez mental para tener la opción de identificar y dar seguimiento a las señales.

No tengo ni idea de lo que alguna vez lo haré.

Una de las propensiones más conocidas e inseguras que veo en las parejas e incluso en las relaciones a largo plazo es la conducta frecuente de aconsejar a su pareja lo que necesitan escuchar en lugar de lo que necesita, quiere, piensa y siente. Cuando obligamos a nuestra pareja en lugar de conectarnos en un nivel genuino y válido, se construye un matrimonio con bases precarias que pueden derrumbarse en cualquier momento.

Las personas complacientes e indulgentes y la sumisión son comunes. Entonces, ¿por qué razón es tan inevitable esta propensión?

Existen numerosos elementos por los cuales les decimos a los demás lo que creemos que necesitan escuchar, particularmente a nuestra pareja.

- Peligro de ser increpado

- Miedo al abandono

- No tengo la menor idea de cómo definir límites

- Eludir los sentimientos incómodos

- Nos gusta satisfacer a los demás, especialmente a los que amamos.

- Nosotros no tenemos la menor idea de lo que realmente necesitamos así complacemos

- Mantener una distancia estratégica de la pelea o conflicto

- Asustado por las respuestas de otro

Es simple, hasta que ciertamente no lo sea.

En general, puede ser difícil tener una reacción aceptable y justa, sin embargo, nadie puede hacer una relación floreciente y optimista sin autenticidad. La confianza se basa en la autenticidad.

No hay relaciones sólidas sin que cada individuo sea consistente consigo mismo primero. Cuando aceptamos o complacemos, por alguna de las razones anteriores, es improbable que estemos floreciendo en nuestra relación. ¿Por qué? Desde que comenzamos a sentirnos imperceptibles como si no hiciéramos una diferencia para nuestra pareja a pesar del hecho de que somos nosotros quienes hacemos que eso pase. Es igualmente inverosímil que nuestras necesidades u objetivos se cultiven, en cualquier caso, no tan rápido. Tampoco obtenemos la ayuda o el placer de compartir el viaje de nuestro desarrollo y anhelos si continuamente estamos de acuerdo con nuestro compañero.

Cuando me enamoré por primera vez, hice todo lo posible para evitar molestar a mi pareja. Además del hecho de que traté de satisfacerlo (antes que a mi), también reduje mis deseos y los suplanté con los suyos. En ese momento, cuando teníamos hijos, mis días estaban cargados de satisfacer a todos. A pesar del hecho de que mi conducta daba la impresión de estar rasgando la superficie, por dentro, me sentía vacía, y cada regalo parecía ser algo así como un truco. Además, a pesar de que las personas me veían como una persona amistosa y amable, entendí que la consideración genuina también debía ser benevolente para mí.

Lectura relacionada: ¿Por qué ser una persona complaciente daña las relaciones y qué hacer al respecto?

Hay una diferencia entre amabilidad y complacer

La consideración no es atenta, excepto si además es amable CONTIGO. Las personas que buscan satisfacer a los demás sin tener en cuenta sus propias necesidades cometen un error importante por varias razones.

1) Si no expresamos en nuestras relaciones lo que pensamos, queremos y necesitamos, no hay comunicación verdadera. Cuando retenemos información hacia los demás, las personas que nos rodean toman en cuenta datos incorrectos, fragmentados o inútiles

que tienen resultados, independientemente de si son confusos en ese momento.

2) Incluso si crees que tienes una idea bastante clara de quién es tu pareja, preferiría no decírtelo: ¡no eres un lector de mentes ! Quizás el mayor reclamo que recibo de las dos personas en una relación afectiva es que su pareja intenta revelarles lo que piensan o cómo sienten, o incluso intentan hablar por ellos. No podemos darnos cuenta de lo que está sucediendo en otra persona, independientemente del tiempo que hemos estado juntos. Suposiciones intrigantes sin límites de cercanía, comprensión y relación. Pensar que SABEMOS lo que piensa o siente nuestra pareja actúa como un canal descompuesto que obstaculiza y frustra discusiones importantes. Esta propensión a esperar también desata conflictos.

3) Cuando un individuo es un miembro inactivo en una relación, el bienestar y la esencia de la relación no pueden florecer, ya que es injusta. Mucho recae en un individuo y la relación no tiene la singularidad que podría lograr el compromiso total de los dos individuos. Además, aquí y allá, la relación incluso se convertirá en el significado de esa palabra que a todos les disgusta: codependiente.

4) Cuando confiamos plenamente en la promesa de nuestra pareja y aceptamos lo que nos guían para ser válidos, pero conservan sus emociones, inclinaciones o aversiones genuinas, el potencial del amor se repudia y la superficialidad se deriva de resultados concebibles. ¡Un minuto, una experiencia puede transformarnos! Una discusión pequeña puede cambiar la forma en que vemos el mundo y a los demás. Trata de no dejar pasar esta hermosa relación diciéndole a tu pareja lo que crees que necesita escuchar en lugar de lo que realmente quieres decir y lo que necesitas decir.

5) Cuando un individuo acepta una mentira o para calmar, los dos individuos en la relación dejan un problema o discusión con diferentes deducciones y conclusiones, que de vez en cuando tiene resultados positivos. En general, estas discusiones se prepararán para formar ideas erróneas en futuras relaciones. Muy bien puede ser tan directo como decirle a tu pareja que su salsa de espagueti es deliciosa cuando realmente crees que es excesivamente fuerte o dulce.

Es obligación de cada individuo dar un paso al frente para satisfacer sus propias necesidades en una relación.

Los complacientes se debilitan a sí mismos y a la relación al poner a su pareja en el mal servicio de los mensajes mixtos o comprensión deficiente. La consistencia y las reacciones explosivas son destructivas porque simplemente crean una fantasía de relación o comprensión.

En relaciones sólidas y maduras, agradamos a los demás cuando somos consistentes con nosotros mismos.

Exactamente en ese punto, podríamos dar y recibir desde un espacio libre y afectuoso.

Control

Al mirar a alguien, normalmente hay una batalla por quién tiene la ventaja. Con problemas de control sobre quién será la figura más predominante, puede comenzar un pequeño choque de géneros. Las mujeres regularmente necesitan demostrar su libertad y demostrar que son tan fuertes como los hombres. Mientras tanto, los hombres también necesitan poder y superioridad. Así que aquí hay algunas maneras diferentes en las que puedes estar a cargo o en control adicional sin darle a la relación la oportunidad de perdurar posteriormente.

Instrucciones para tener el control en una relación

Establecer límites

Es probable que tengas tu propio grupo de principios que se encuentran dentro de tu rango habitual de familiaridad, por lo que es imprescindible mantener una parte de estos cuando estás viendo a alguien. Si no tienes límites y sientes la necesidad de más control, intenta y establece algunos. Conoce los puntos que no puedes dejar pasar y háblalos obviamente con tu pareja. Además, asegúrate de que tu pareja se dé cuenta de que no hay manera de transigirlos y lleguen a un acuerdo con algunos limites justos y flexibles.

Tener auto respeto

Nadie más te tendrá en cuenta si no lo tienes por ti mismo. Al Salir con alguien, el respeto es básico, así que demuéstrale a tu pareja que te respetas a ti mismo. Ten cuidado por la forma en que habla de ti, cómo manejas el poder y cómo ve caracter. Todo esto será reflejado por tu pareja.

Mantén tu independencia

Intenta demostrar continuamente a tu pareja que eres tu propio individuo. Es beneficioso tener sus propios intereses secundarios y compañeros para invertir su energía fuera de la relación. Este es un método decente sobre cómo estar a cargo de una relación, ya que demuestra que estás bien contigo mismo.

Demuestra tu confianza

Tener confianza es atractivo, y si tienes fe en ti mismo, en ese momento estar a cargo debería ser más simple. Demuestra a tu pareja que tú mereces lo mejor. Este tipo de certeza te permitirá tener más poder en una relación. Si estás luchando con certeza, intenta recordar lo que es más esencial para ti y que tú eres significativo y merecedor. En ese punto, irradia esto en tu relación para ayudar a aumentar un toque de control.

Intenta no estar disponible

Sin perder el tiempo, asegúrate de que tu pareja se dé cuenta de que tienes una vida fuera de la relación. Esto es particularmente significativo en primer lugar con el objetivo de que no piensen que eres excesivamente débil. Demuéstrales que te valoras a ti mismo, que puedes vivir sin ellos y que tu relación se suma a la vida fantástica que tienes ahora. Esto te ayudará a entender cómo estar a cargo de una relación.

Actúa de acuerdo con tus palabras

Existen numerosas formas de cómo estar a cargo de una relación. Si necesitas que tu pareja te preste atención adicional y aumentar el control, intenta terminar tus palabras. Tu pareja sentirá la diferencia y te considerará más si actúas consistentemente con tus comentarios. Del mismo modo, debes intentar terminar y actuar cuando tengas una discusión con tu pareja. Si aseguras que habrá consecuencias seguras, en ese momento asegúrate de mantenerte firme. Tu pareja no te tomará en serio si generalmente cede contra tu promesa. Funciona igual con mantener las promesas; Asegúrate de ser directo y hacer lo que prometiste.

Usa el silencio durante el conflicto

En el momento en que tu pareja te esté lastimando de alguna manera u otra o esté fuera de lugar, trata de permanecer callado en lugar de demostrar que pierdes el control de sus sentimientos tan rápidamente. Tu compañero reconocerá que no tiene tanto control sobre ti si no respondes tan rápidamente a los enfrentamientos. Si tú estás considerando cómo ser responsable en una relación, tratar de hacer las cosas de manera diferente si no está funcionando. Al adoptar el enfoque pacífico y silencioso, encontrarás a tu pareja descuidado lo que puede ayudar a cambiar el equilibrio de poder.

Utiliza tu voz

Haz ruido y ten claro lo que necesitas de tu pareja. Si te respetan, significará mucho para ti que eres sincero y genuino. Al comunicarte obviamente, demostrarás que estás a cargo. Esto también te hará sentir cada vez más validado.

Trata a los demás como quieres que te traten

El brillante y excelente viejo consejo de tratar a los demás cómo quieres que te traten es una forma infalible para obtener el respeto de tu pareja. Esto también te permitirá aumentar cierto control que puedes haber perdido. Demuestra que tú eres responsable de tu conducta y decisiones y que le prestas atención.

Intenta no conformarte con menos

Demuestra a tu pareja que estás seguro y date cuenta de lo que mereces. Si un compañero puede lograr cualquier cosa de uno, en ese punto se pierde la capacidad del otro. Es esencial sostenerse y mantenerse firme. Además, si algo no funciona de la manera en que lo necesitas, no te resistas a irte. Demuestra que tienes autoridad sobre tus sentimientos y decisiones.

Intenta no perder el tiempo con juegos

Una relación adulta es aquella en la que se equilibra el control, y si intentas y pierdes el tiempo, en ese momento estás perturbando el equilibrio de poder. Asimismo, preferirías no salir con alguien a quien le guste jugar y sea excelente en esos juegos, ya que con frecuencia te pedirá que le quites el control. Aumenta el control en tu relación al indicar que no tienes que entrar en una batalla de poder a través de juegos inmaduros.

Habla sobre la lucha de poder

Antes de rebotar en los extremos o pensar en lo más terrible, intenta y examina con tu pareja que necesitas que el control se ajuste cada vez más. Examina maneras y explica lo que esperas en la relación. Indica a tu pareja que necesitas sentir que el control no es desigual.

Evasión

Las conductas de evasión son movimientos que un individuo realiza para escapar de pensamientos y emociones difíciles. Estos comportamientos pueden ocurrir desde numerosos puntos de vista y pueden incorporar actividades que un individuo hace o no hace. Las personas con problemas de ira adoptan regularmente conductas de evasión para eludir pensamientos perturbadores, sentimientos de miedo y, en general, manifestaciones relacionadas con la tensión.

Como individuo que maneja la ira y la ansiedad, a partir de ahora puedes sentirte cómodo con la evasión. Estos comportamientos pueden afectar negativamente numerosas partes de tu vida, incluida tu vocación, relaciones e intereses individuales o actividades de ocio. Puedes vivir manteniendo una distancia estratégica de las aperturas para el trabajo, las reuniones e incluso los parentescos que intentan mantener tu tensión bajo control.

Identificar cuando está sucediendo

Para cambiar cualquier comportamiento desadaptativo, inicialmente debes comenzar por tener en cuenta cuándo está sucediendo. Como parte del proceso, detente y piensa cómo te enganchaste constantemente con los comportamientos de evasión. Recuerda cualquiera que sobresalga. Es posible que hayas visto cómo hiciste esto de pequeñas maneras. Por ejemplo, tal vez evitaste a un amigo ya que te sentiste nervioso al chatear con él.

Cuando comienzas a seguir de manera confiable tus actividades, puedes sorprenderte al descubrir que estás participando en más conductas de evasión de las que sospechaste al principio.

También puedes ver grandes maneras con los que te ocupaste evadiendo, por ejemplo, tomar un curso diferente al trabajo para mantener una distancia estratégica de la autopista ya que lo hace sentir inquieto. Simplemente esforzándote por ver estas conductas, estarás preparado para transformarlas.

Impactos de los comportamientos de evasión

Además de limitar tu vida, las conductas de evasión con frecuencia tienen el impacto contrario al deseado. Si bien a corto plazo puede encontrar una tranquilidad temporal, a largo plazo, la evasión realmente provoca una tensión expandida.

Al mantener una distancia estratégica de lugares, individuos y ocasiones, la víctima de la ansiedad realmente está tratando de hacer huellas en una dirección opuesta a tus sentimientos de nerviosismo. Sin embargo, cada vez que te alejas de estos pensamientos y emociones que impulsan la tensión, realmente las está fortaleciendo. Te estás enviando el mensaje a ti misma de que el mundo es un lugar arriesgado. Al final, puedes llegar a estar cada vez más asustada acerca de un número cada vez mayor de cambios, considerando el ciclo de tensión para intensificarse.

Por qué hacer frente a la evasión crea estrés adicional

Las personas que viven con evasión a menudo se niegan a sí mismos de numerosos reuniones, actividades y relaciones. Los comportamientos de evasión relacionados con la ansiedad pueden evitar que continúes con tu vida sin límites. Lee con anticipación algunos consejos sobre la forma más competente para disminuir tus comportamientos de evasión relacionados con la ansiedad.

Descubriendo confianza y apoyo

La forma de derrotar los comportamientos de evasión es seguir enfrentando gradualmente aquello de lo que huyes de manera estratégica hasta que nunca más tenga un control sobre ti. Obviamente, hacerlo es bastante difícil. Esa es la razón por la que se prescribe que no se enfrente a una distancia estratégica mantenida recientemente solo de las circunstancias, sino que participe en ellas con un amigo o pariente de confianza cercano.

Dile a tu amigo que la circunstancia en la que se aventura es normalmente una fuente de ansiedad. Ten preparado un plan de apoyo en caso de que las cosas no salgan como esperas. Por ejemplo, vas a una gran reunión de la que normalmente huirías, habla hasta ahora sobre lo que necesitarás si te siente incómodo. Prepara a tu pareja para darte espacio si necesitas un par de minutos solo para lidiar con tu nerviosismo. Tal vez le advertirás que debes irte si las circunstancias se vuelven inmanejables. A pesar de tu arreglo, asegúrate de que tu pareja lo sepa para que reconozca lo que le espera si surge tu ansiedad.

Revelando tu trastorno de ansiedad a amigos y familiares

Ten en cuenta que nunca debes depender de alguien para respaldar tus sentimientos de nerviosismo de manera constante. Por lo tanto, incidentalmente puedes hacer un cambio en la evasión donde se vuelve excesivamente dependiente a esta persona. A la larga, tendrás que intervenir solo en las evasiones solo. En la actualidad, tu pareja puede estar apoyándote desde una separación, pero es solo cuando avanzas solo que realmente puedes vencer tus comportamientos de evasión.

Crea formas de lidiar con tu ansiedad

Sus conductas de evasión giran en torno a no tener ningún deseo de encontrar inquietud o diferentes manifestaciones del problema de la ansiedad. El mejor método para superar este temor es aprender las maneras que te permitirán controlar sus manifestaciones. Adaptar habilidades puede permitirte mantener tu nerviosismo dentro de los límites adecuados e incluso puede ayudarte a lidiar con tus ataques de ansiedad. Dichas habilidades se pueden aprender a través de la asistencia de un especialista o solo utilizando libros de autoayuda.

Algunos procedimientos básicos para ayudar a adaptarse a la ansiedad incluyen:

Relajación muscular dinámica

Actividades de respiración profunda

Reconstrucción del subconsciente

Seguimiento del nerviosismo

Ayuda experta está disponible

Pocos de los que sufren de problemas de ansiedad encontrarán comportamientos de evasión, a pesar de que muchos descubrirán que estos problemas ponen limitaciones innecesarias en sus vidas. Si descubre que sus conductas de evasión son inmanejables y fuera de control, podría ser una oportunidad ideal para buscar ayuda experta. Obtener asistencia competente con sus efectos secundarios de ninguna manera, genera una decepción de tu parte. A decir verdad, numerosas personas con problemas de ansiedad han descubierto que se recuperan más rápido a través del tratamiento.

Numerosas personas se sienten nerviosas en su relación, a la luz del hecho de que su pareja se mantiene alejada de la cercanía emocional. A pesar de lo desconcertante que pueda parecer la pareja que evade con frecuencia, no se les puede acusar de todas las cosas que ocurren en la relación.

Cualquier relación contiene una dinámica entre dos individuos, y los problemas dentro de la relación deben ser analizados tomando en cuenta las dos partes. Para comprender la evasión con respecto a una relación, debemos comenzar con un resumen de las conductas de evasión.

Identificando los Comportamientos Evasores en tu Pareja

Aquí hay algunos comportamientos que muestra regularmente la pareja "evasor":

- No devolver escritos, mensajes o llamadas

- Pasar por alto planes, eventos poco comunes o fechas

- No decir "Te amo" o diferentes muestras de afecto

- Evitar discusiones sobre un deber adicional, por ejemplo, monogamia, compromiso o matrimonio.

- Rechazar o burlarse de los esfuerzos de un compañero para estar más cerca o para conectarse en un nivel más profundo

Este comportamiento puede ser desconcertante y puede hacer que la pareja del individuo evasor se pregunte qué está "fuera de base" con respecto a la relación, y si la pareja evasora incluso los ama sin lugar a dudas. Regularmente hay discusiones sobre la relación, donde un compañero critica al otro por no preocuparse "lo suficiente" o demostrar su afecto de maneras específicas. Estas batallas pueden socavar la calidad de la relación y disolver la cercanía después de un tiempo.

Para esta situación, normalmente se piensa que la pareja de la persona evasora está "distraída" o "al límite" en la literatura especializada de las relaciones. Esto implica que pueden parecer entrometidos y controladores cuando discuten sobre la evasión de su pareja. La posibilidad de que la pareja evasora no los ame o no quiera centrarse en ellos desencadena una reacción de ansiedad (llamada alarma de relación).

Qué hacer cuando reconoces la evasión en tu pareja

La acción principal cuando percibes que tu pareja es evasiva es comprender cómo sus propios comportamientos y problemas pasados se suman a la dinámica. Puede funcionar con el terapeuta de parejas, pero en general, muchas personas que se sienten intuitivamente atraídas por la pareja evasora han tenido encuentros en su vida inicial donde un padre u otra figura clave de relación fue reprimida en la relación.

Cuando se encuentran con una pareja evasora, estas personas intuitivamente observan una oportunidad para finalmente hacer que una persona con problemas de relaciones se someta y esté disponible y comprometido. Estas parejas quedan atrapadas en una dinámica de distanciador-seguidor, lo que implica que una pareja busca la cercanía de la otra, mientras que el otro empuja para construir una separación emocional.

Para algunos, las personas unieron fuerzas con las personas que evitan, tiende a ser excepcionalmente valioso observar sus propias reacciones a la conducta de evasión, y dar sentido a si son útiles o no. Por ejemplo, enviarle mensajes de texto a tu pareja varias veces directamente para decirles lo afectado que estás por no haber respondido aún no suele ser un comportamiento propicia. Esto puede hacer que la persona evasora se sienta presionada, dominada y agredida. Entonces, ¿qué sería una buena idea que hicieras?

Tolerando a tu pareja por lo que es

El camino hacia una relación fructífera con una pareja evasora es reconocer cuál es su identidad, sin dejar de ser coherente con lo que necesitas. Esto no significa lo que necesitas - que en ese momento puede ser una discusión de contenido constante y progresiva que continúa durante 16 horas de vigilia - sin embargo, lo que debes sentir es como si no hubiera nada malo en el mundo, que podría ser una pareja que puede decir "Te amo" o alguien que no evade los planes.

Si la pareja evasora intenta reaccionar a tus necesidades esenciales de establecer lazos, no dudes en separarte de la relación. En cualquier caso, si están tratando de resolver sus problemas y aún tienen sus propios problemas para resolver, es posible que esto realmente no indique que las cosas no funcionarán.

La dinámica del seguidor-distanciador es normal, y no necesita implicar que tu relación esté condenada. Un especialista puede permitirte reconocer cuáles de los problemas de relación se deben fundamentalmente a tus debilidades y cuáles se deben a la evasión amorosa de tu pareja.

Fortalece tu relación con la terapia de pareja

La mayoría de los problemas de relación son, como puede suponer, debido a la dinámica impredecible entre estos estilos de relación, que con frecuencia se puede analizar de manera productiva con un terapista de parejas. Independientemente de si una relación feliz parece estar muy lejos ahora, se pueden explorar de manera efectiva numerosos problemas con la ayuda de un experto.

Recordatorios de recuperación

Los hechos confirman que el afecto es desinteresado. Cuando tenemos hijos, sus necesidades deben anteceder a los nuestros. No vamos a dejar a nuestro bebé llorar por un período considerable de tiempo por hambre en la noche, ya que queremos descansar cuando el bebé preferiría estar alerta y comer. Llevaremos a nuestros hijos a hacer ejercicios cuando estemos agotados o preferiríamos lograr algo diferente. Actuar como un padre capaz es amar a nuestros hijos.

En cualquier caso, cuando generalmente ponemos al otro primero en nuestras relaciones de adultos, en detrimento de nuestro propio bienestar o prosperidad, podríamos ser codependientes.

Sobre codependencia

La codependencia es un comportamiento aprendido. Observamos las acciones de nuestra familia cuando somos niños. Si nuestra madre o padre tuvo un problema con los límites, fue siempre el santo, nunca dijo "no" a las personas y tuvo enfoques errados para disciplinar, indudablemente tomamos estos comportamientos y los incorporamos a nuestras relaciones amorosas.

Los jóvenes que crecen con padres con problemas para relacionarse también están en peligro de ser codependientes. Regularmente terminan viendo a alguien donde su pareja tiene retraso para relacionarse, sin embargo, mantienen la expectativa de que pueden cambiarlo. Independientemente de lo que ocurra, no dejarán de confiar en que algún día las cosas serán geniales.

La expectativa inconsciente es que el otro verá todo el afecto que le damos y estará motivado para cambiar. Aceptamos que si simplemente nos mantenemos firmes y damos nuestro afecto, comprensión y respaldo, al fin obtendremos el amor que queríamos de nuestra familia. Este razonamiento es perjudicial si no tenemos límites sólidos que nos protejan de las heridas físicas o emocionales y le dejen saber a nuestra pareja que su comportamiento rudo no es aceptable.

La parte más notablemente terrible es el punto en el que no entendemos lo que está sucediendo y seguimos viviendo en una relación fría, ya que nunca nos hemos dado cuenta de a qué se parece una relación sana. Las personas codependientes no aceptan que merecen amor, por lo que se conforman con menos. Con frecuencia, terminan recibiendo abuso mental, emocional, físico e incluso sexual de su pareja.

Las personas que son codependientes frecuentemente buscan cosas fuera de sí mismas para sentirse mucho mejor.

Estructuran relaciones que no son beneficiosas, con la esperanza de "arreglar" al otro. Una persona con propensiones codependientes puede terminar en una relación cercana con un individuo que tiene problemas de adicción que los justifican de ser reprimidos en sus relaciones. Su pareja o ellos mismos podrían ser trabajadores obsesivos o desarrollar algún otro comportamiento enfermizo para mantener alejado del sentimiento de vacío en la relación. Esto es más simple en el momento presente que analizarse y lidiar con sus sentimientos.

El método más efectivo para saber si tú eres codependiente

Si está viendo a alguien que crees que podría ser codependiente, el primer paso hacia la libertad es dejar de mirar al otro e investigar a ti mismo.

Si realmente diceque está de acuerdo con las siguientes afirmaciones, puede ser codependiente:

En general, amará a las personas que puedes compadecer y proteger.

Te sientes a cargo de las actividades de los demás.

Das más de lo que ofreces en la relación para mantener la armonía.

Temes ser abandonado o solo.

Te sientes a cargo de la alegría de tu pareja.

Necesitas el respaldo de otros para recuperar su propia valía.

Experimentas problemas de adaptación al cambio.

Experimentas problemas al decidirte por las opciones y te cuestionas regularmente.

Dudas en confiar en los demás.

Tu mentalidad está limitada por las opiniones y sentimientos de las personas que te rodean.

La codependencia se encuentra regularmente en individuos con trastorno límite de la personalidad (TLP), a pesar del hecho de que esto no significa que todas las personas con problemas de codependencia también cumplan con los criterios para la conclusión de TLP.

La relación entre codependencia y adicción

Uno de los numerosos problemas con una relación codependiente es que puede estar potenciando accidentalmente la adicción de una pareja. En su esfuerzo por demostrar su afecto "ayudando" a su pareja, puede desmoralizar a esa persona con respecto a buscar el tratamiento importante para calmarse.

Por ejemplo:

Tú justificas que tu pareja está bebiendo diciendo que ha tenido un día desagradable o necesidad de relajarse.

Racionalizas cuando tu pareja no puede llegar a reuniones sociales ya que ella se ve afectada por la heroína.

Dejas que tu novio (a) adquiera remedios narcóticos en cualquier momento en que se queje de cualquier angustia menor, a pesar del hecho de que estás estresado por su creciente dependencia a la prescripción.

Discretamente asumes obligaciones adicionales en la casa o en la crianza de tus hijos con el argumento de que tu pareja está constantemente impedida.

Tú pasas la mayor parte del tiempo pidiendo perdón a otras personas o haciendo favores para arreglar las relaciones dañadas por el uso indebido de medicamentos o licores de tu pareja.

Tú arriesgas tu propio futuro monetario al prestar dinero a tu pareja para cubrir las obligaciones derivadas del abuso de sustancias.

La adicción debilita el juicio y las aptitudes de razonamiento básico. Esto hace que sea extremadamente difícil para alguien con un problema de uso de sustancias ver que la persona en cuestión necesita ayuda. Cuando haces un esfuerzo especial para evitar que tu pareja encuentre los resultados del uso indebido de sustancias, haces que sea más dificil que el individuo reconozca que existe un problema.

Amar a alguien con un problema de uso de sustancias también puede hacer que tus propensiones codependientes se salgan de control. En el momento en que tu pareja está actuando de manera caprichosa debido al uso indebido de medicamentos o licores, es todo menos difícil recurrir al comportamiento codependiente en tu batalla para mantener un sentimiento de autoridad sobre el entorno turbulento. Esto hace un bucle sin fin que los atrapa a ambos en una relación disfuncional y desafortunada.

Recuperarse de la codependencia

Afortunadamente, la codependencia es un comportamiento aprendido, lo que significa que muy bien puede ser ignorado. Si valoras a tu pareja y necesitas mantener la relación, debes enmendarte como una cuestión de primera importancia.

Algunos pasos importantes para recuperar su relación de la codependencia incluyen:

Comienza a ser directo contigo y tu pareja . Hacer cosas que preferiríamos no hacer no solo quema nuestro tiempo y energía, sino que también acelera los sentimientos de resentimiento. Hacer comentarios que no queremos decir solo nos perjudica, ya que en ese momento estamos llevando a cabo una falsedad. Sé directo en tu comunicación y en la transmisión notificación información de tus necesidades y deseos.

Deja los pensamientos negativos. Atrápate cuando comiences a pensar negativamente. Si comienzas a imaginar que no tienes derecho a ser tratado seriamente, reponte y cambia tus pensamientos. Ten seguridad y mayores deseos.

Intenta no pensar en las cosas literalmente. Se necesita una tonelada de trabajo para que una persona codependiente no piense en las cosas literalmente, particularmente cuando está en una relación sentimental. El paso inicial es tolerar lo diferente tal como es sin intentar arreglarlo o cambiarlo.

Tomar descansos. No hay nada de malo en tomar un descanso de tu pareja. Es beneficioso tener amistades fuera de su relación. Salir con compañeros nos lleva de regreso a nuestro interior, ayudándonos a recordar quiénes somos realmente.

Piensa en terapia. Entra en terapia con tu pareja. Un terapeuta se incluye como un extraño imparcial. Pueden llamar la atención sobre inclinaciones y actividades codependientes entre ustedes que quizás no conozcan. La entrada puede dar una etapa inicial y rumbo. El cambio no puede ocurrir si no cambiamos.

Depende del apoyo de tus amigos. Personas mutuamente dependientes anónimas, es una reunión de 12 pasos como Alcohólicos Anónimos que alienta a las personas que necesitan liberarse de sus patrones de comportamiento codependiente.

Establecer límites. Las personas que luchan con la codependencia con frecuencia experimentan dificultades con los límites. Nosotros no tenemos la menor idea de dónde comienzan nuestras necesidades o terminan las del otro. Regularmente florecemos de la culpa y nos sentimos terribles cuando no ponemos al otro primero.

El amor propio no es egoísta

A medida que intentas romper el ciclo de la codependencia, puede parecer que te están instando a actuar de manera egoísta y fuera de línea con tu pareja. Esto no podría ser más fuera de base.

En una relación sana, los dos individuos tienen caracteres adultos fuera de su tiempo juntos. Cada uno de ellos lleva importantes contribuciones en la mesa, formando una relación que les permite a los dos desarrollarse y crecer.

Ver a un amigo o familiar luchar con la adicción a los medicamentos o al licor es trágico, sin embargo, no estará en ninguna situación para ayudar al tratamiento de la adicción de su pareja, excepto si dedica unos minutos para abordar sus propias necesidades de bienestar emocional.

Conclusión

Gracias por haber llegado al final de *Guía de recuperación de la codependencia*, esperamos que fuera informativa y capaz de proporcionarle con todas las herramientas que necesita para alcanzar sus objetivos de lo que sea.

Guía de sanación del abuso narcisista

¡Sigue la guía esencial de recuperación de narcisistas, sana y deja atrás una relación emocional abusiva! ¡Recupérate del narcisismo o del trastorno narcisista de la personalidad!

Por Marcos Romero

Tabla de contenidos

Tabla de contenidos

Introducción

Capítulo 1: Historias de éxito

    Introducción a los personajes narcisistas
    Historias de éxito del abuso narcisista
    Estudio de caso n.° 1: La experiencia de Lilie con un esposo narcisista
    Estudio de caso # 2: Kelly se separa de su familia narcisista

Capítulo 2: Modo Víctima

    Lo que hace que sea difícil sanar de un abuso narcisista
    La claridad en retrospectiva
    Impotencia aprendida
    El camino solitario
    Miedo a lo desconocido
    Estableciendo los hechos
    No esperes que cambien

La piedra angular de la sanación

    Pregunta por qué
    Sé específico
    Sé amable contigo mismo
    Sé inteligente
    Mantente en la cima

Capítulo 3: Deshacerse de la pseudo-personalidad

    Cómo reconocer tu pseudo-personalidad
    Los desafíos de tratar con una pseudo-personalidad
    Comprender su ego frágil podría ser un gran desafío
    Comprender su capacidad para cambiar de marcha del mundo real al falso
    La pseudo-personalidad es bastante controladora
    Puede ser difícil identificar la esencia de una pseudo-personalidad

Una pseudo-personalidad es un mentiroso profesional
Puede ser difícil lidiar con su mal genio
La pseudo-personalidad siempre será una víctima

Romper la maquinación

Niégate a comprometerte con un individuo que tiene una pseudo-personalidad
Establece si la conversación siempre debe ser dirigida por ellos
Comprende que son tomadores y no dadores la mayor parte del tiempo

Capítulo 4 - Curación del niño interno

¿Cómo sucede?
El niño interior en la edad adulta
¿Cómo se ve una infancia estable?
Cuidar a tu niño interior

Identificando el dolor infantil
Vuelve a criar a su hijo interno
Involucrando a tu niño interior

Capítulo 5: Creando tus pensamientos

Conciencia
Audiencia de la voz interior
5 pasos para recuperar el control de tus pensamientos
1. Estudia cómo prevenir tus pensamientos
2. Reconoce los sentimientos negativos dentro de ti
3. Anota tu película mental
4. Consigue la mentira
5. Encuentra la verdad

Deshazte del pobre autoconcepto de tus pensamientos

Vivir el momento
Crear conciencia
Escribe un diario
No juzgues
Conéctate a ti mismo

Mejora la meditación consciente
  Participa en tu vida personal
  Mente de principiante avanzada
  Dejar ir
  Ten compasión de ti mismo

Reenfoca tu mente

  Comienza evaluando tu enfoque mental
  Erradicar interferencias
  Pon tu atención en una cosa a la vez
  Estar en el momento
  Ejerce la atención plena
  Tómate un pequeño descanso
  Practica más para fortalecer tu enfoque

Consejos para mejorar la atención plena
  1. Solo respira
  2. Dar un paseo
  3. Disfruta estar en silencio

Cómo afirmarte

  1. Elimina a los individuos egoístas y cínicos de tu vida
  2. Tener objetivos y alcanzarlos
  3. Expándete
  4. Ten tiempo para ayudar a otros

Capítulo 6: Modo de supervivencia

¿Es TEPT?
¿Cómo puede saber si tiene TEPT-C?

  Pensamientos deprimentes invasivos
  Estrés
  Evasión
  Exclusión
  Cambios en la excitación y la reactividad
  Dificultad para controlar las emociones
  Percepción alterada de uno mismo y del mundo
  Obsesión con el abusador

Dificultad con las relaciones personales

Obteniendo ayuda

Encontrar un grupo de apoyo
Identificar disparadores de advertencia temprana
Identificar métodos de afrontamiento

Psicoterapia
Terapia de conducta cognitiva
Medicamentos
Ejercicios de gratitud

Apreciarte a ti mismo
Lleva un diario de gratitud
Programa una visita de agradecimiento
Hacer un frasco de agradecimiento
Reír en voz alta
Haz un objetivo diario
Encuentra un amigo de gratitud
Reduce tus quejas
Acto de bondad
Indicaciones de gratitud
Hacer un collage

Capítulo 7: Modo floreciente

Establecer límites
Ser asertivo
Conoce tus derechos
Ser estratégico

Verificar abuso
Comprueba tu silencio
Comprueba tu ira
Verifique si están dispuestos a cambiar
Ten cuidado con la manipulación
Honestidad contigo mismo

Ser educativo
Enfrentarse al abuso de manera efectiva
Tener consecuencias

Obtén soporte y propósito en otro lugar
Confía en tu intuición

Capítulo 8: Entrar en una nueva relación

Señales que estás listo para una nueva relación

> Ya no piensas en ellos
> No tienes odio por ellos
> Cuando puedes sincerarte libremente
> Ya no los acosas
> No te sientes mal acerca de tus experiencias pasadas
> No tienes miedo de enamorarte de una persona similar de nuevo
> Cuídate
> Estás listo para correr el riesgo nuevamente
> Quieres genuinamente comenzar una nueva relación

Redefiniendo lo que es sexy después de una relación narcisista

> No pienses que no eres atractivo; Hazte atractivo en su lugar
> No dejes que tu relación pasada afecte tu vida actual
> Encuentra tu confianza
> Vístete bien y date un capricho
> Mantener la postura correcta
> Aprende las habilidades de un buen romance
> Ámate a ti mismo y a tu vida

Cómo convertirte en tu propia fuente de felicidad

> Haz de ti mismo una prioridad
> Haz las pequeñas cosas que amas más a menudo
> Ponte a prueba haciendo algo nuevo
> Dormir lo suficiente
> Hacer los entrenamientos

Cómo mantenerte soltero y bendecido

> Aprende a hacer las cosas por tu cuenta
> Desarrollar otras relaciones

Conocer gente nueva
Consiéntete
Mantener una empresa positiva y solidaria

Conclusión

Introducción

Felicidades por comprar la Guía de sanación del abuso narcisista: ¡Sigue la Guía esencial de recuperación de los narcisistas, sana y avanza de una relación emocional abusiva! ¡Recupérate del narcisismo o del trastorno narcisista de la personalidad! Hoy, podemos interactuar con personas con diferentes personalidades en muchas áreas de la vida, incluido el trabajo, la escuela y las relaciones. Desafortunadamente, algunos de nosotros hemos interactuado con personas generalmente infelices y decepcionadas que carecen de autoestima y carecen de empatía por los demás, los llamados narcisistas. Las víctimas del narcisismo pueden terminar sufriendo ansiedad, estrés y depresión, lo que contribuye a otros problemas de salud. Al descargar este libro, has dado el primer paso para aprender a escapar y recuperarte del abuso narcisista. La información que encontrarás en los siguientes capítulos es muy importante, ya que te guiará a tomar el control de tu vida de inmediato y desarrollar una mente y personalidad más saludables.

Con ese fin, este libro proporciona una visión general en profundidad del trastorno narcisista de la personalidad, proporcionando una comprensión clara de los rasgos de carácter de los narcisistas, historias exitosas de abuso narcisista y el proceso de sanación . También cubre el papel de víctima narcisista, en el que cubrimos las circunstancias que rodean a una víctima narcisista, incluyendo lo que hace que sea difícil para recuperarse de los abusos y los pilares de curación. El libro también ofrece una descripción completa de la pseudo-personalidad y cómo deshacerse de ella. Además, proponemos las estrategias necesarias para tratar con la pseudo-personalidad, incluidos los posibles desafíos y cómo reconocer que tiene una pseudo-personalidad.

Muchos libros sobre este tema están en el mercado, ¡gracias una vez más por considerar este! ¡Por favor disfruta leyendo!

Capítulo 1: Historias de éxito

Para dar amor, todos debemos amarnos a nosotros mismos primero. Esta afirmación parece ser tan cierta que la mayoría de nosotros buscamos examinarla a fondo. En los asuntos del día a día, ya sea por negocios, por amor o en la estructura familiar, actuamos de acuerdo con esta premisa, pero es inestable.

Mientras que algunas personas creen que no se aman a sí mismas en absoluto (grupo ego-distónico), otras sienten que se aman a sí mismas porque son contenidas por quienes son (ego-sintonía). Sin embargo, otras personas restringen su definición de amor con respecto a sus rasgos, patrones de comportamiento e historia personal. Pero aparece un grupo de personas con una constitución mental única: los narcisistas.

Introducción a los personajes narcisistas

Se cree que los narcisistas están enamorados de sí mismos. Sin embargo, éste no es el caso. Un narcisista siempre está enamorado de su REFLEXIÓN en lugar de estar enamorado de SÍ MISMO. Estar enamorado de uno mismo es funcional, saludable y adaptativo, pero tener un amor por la autorreflexión se asocia con dos contratiempos: la persona siempre depende de la disponibilidad de la reflexión para desarrollar el amor propio y la falta de amor propio. "Criterio objetivo y realista" de si la reflexión existe en la realidad.

Un error común es que los narcisistas siempre se aman a sí mismos. Pero en realidad, su amor siempre se dirige a la aprobación de los demás por ellos. Una persona cuyo amor se basa en la impresión no es capaz de amar genuinamente a otras personas, incluso a sí mismo.

Un narcisista tiene un deseo interno de sentirse amado y amar a los demás, lo que significa que si no puede amarse a sí mismo y a los demás, debe estar enamorado de su reflejo en medio del posible contraste con su propia imagen. A diferencia de una persona común, un narcisista invertiría mucha energía y otros recursos para mantener la imagen proyectada, a veces volviéndose vulnerable a amenazas externas.

Pero un rasgo importante que proyecta la imagen de un narcisista es el encanto. Un narcisista siempre asociará el amor con otras emociones como respeto, atención, asombro y admiración. Por lo tanto, para un narcisista, una imagen proyectada generalmente es adorable y puede ser amada, por lo tanto, equiparándolo al amor propio. Este personaje agota a los narcisistas de su energía mental, por lo que no le queda nada para dedicar a otras personas.

Historias de éxito del abuso narcisista

Desarrollé un interés en comprender el narcisismo en el año 2014 cuando tuve la oportunidad de visitar un programa de recuperación de abuso narcisista de 3 días que se llevó a cabo en Brooklyn. Durante el evento, conocí a varios sobrevivientes de abuso narcisista, así como a aquellos que todavía están atrapados con narcisistas. Pero la historia más intrigante y fue que involucra a tres sujetos, Lilie que se había separado de su marido narcisista, Joe, y Kelly que escaparon de miembros de la familia narcisista . En esta sección, voy a compartir su experiencia con narcisistas y cómo se recuperaron del abuso.

Estudio de caso n. ° 1: La experiencia de Lilie con un esposo narcisista

Cuando Lilie se paró ante la congregación, comenzó a sollozar incluso antes de pronunciar una palabra. Parece haber dejado atrás el asunto, pero aun así, la herida parecía fresca. Acababa de abandonar su matrimonio de 12 años y había llevado a sus dos hijos a vivir con su madre. Ella narró cómo había estado tan ciegadurante más de 10 años como para no reconocer que se iba con un narcisista. Cuando comenzó a hablar, sentí una conexión personal con su dolor, narrando vívidamente cómo conoció a su esposo en los días de la universidad,

"Recuerdo vívidamente cómo nos conocimos en la universidad, a principios del verano. Me acababa de unir al campus y la persona que estaba lista para darme orientación era Josh, que ya iba en segundo año. Ese día me mostró en todas partes, incluidas las clases, los laboratorios, las áreas botánicas y, finalmente, a su habitación donde me recibió alegremente. Al final del día, sabía que había hecho un amigo, y como la historia lo diría, pronto comenzamos a salir".

Lilie explicó que siempre estaban juntos, y Josh la llevaría a todas partes mientras él estuviera libre. Después de 3 años de noviazgo, Josh la llevó a conocer a sus padres en las vacaciones de verano, quienes me parecieron ser muy agradables. Sin embargo, durante su estadía allí, recordó haber observado que su novio tenía el control con los padres, algo que nunca había sentido (o demasiado ignorante para darse cuenta). Él dictaría qué se cocinará, cómo se lo trataría y la ayuda que le brindaría a su familia. Cuando le preguntaba sobre la actitud negativa, él siempre le decía: "no sabes qué tan malas son estas personas, solo cállate".

Después de graduarse, decidieron casarse. Aunque la boda fue fabulosa, Lilie recordó que Josh cambió de inmediato cuando se casaron. Ya no la dejaría salir a encontrarse con sus amigos, diciéndole que necesitaba más tiempo para concentrarse en su casa recién construida. La acompañaría a la tienda de comestibles y a cualquier otro lugar al que ella quisiera ir durante los fines de semana, y de lunes a viernes, con frecuencia aparecía para verla sin previo aviso.

"Al principio, pensé que Josh solo quería pasar tiempo conmigo, pero luego me di cuenta de que solo era un narcisista. Cuando me encontraba hablando con mis colegas varones, intencionalmente iniciaba una acalorada discusión sobre no estar dedicado a nuestro matrimonio y coquetear con los hombres. Incluso me decía cosas como puta o ramera y luego se disculpaba".

Lilie comenzó a culparse a sí misma, sintiendo que nunca había amado lo suficiente a Joe. Ella, por lo tanto, recurrió a no tener ninguna conversación o compromiso social con sus colegas varones, excepto con sus jefes. Más tarde abandonaría a todas sus amigas y hermanas, ya que creía que eran solo una pérdida de tiempo y que no agregaban ningún valor al matrimonio. Pero las cosas empeoraron aún más cuando tuvo su primer hijo"

"Cuando tuve mi primer bebé, había ganado mucho peso. Joe lo consideró un punto débil y se burlaría de mí. Nunca estuvo allí para ninguno de nosotros, y me quedé luchando sola. Era distante emocional y sexualmente, y una vez me dijo que perdió interés en mí porque estaba gorda".

Lilie también contó cómo se hundió en la depresión y recordó que se enfermó a menudo debido al estrés. Joe le diría que prefería a otras mujeres porque ya no era lo suficientemente buena, pero soportó todos los traumatizantes abusos, solo para mantener su matrimonio. Pronto tendría su segundo bebé después de 3 años, y el estado de su matrimonio empeoró aún más.

"Después de nuestro segundo bebé, Joe quería que dejara mi carrera para poder cuidar a los niños. Él creía que tenía suficiente dinero para cuidarnos, así que no tenía una razón para trabajar. Pero todavía no me perdí hasta ese punto. Amo mi trabajo de arte, y no lo habría sacrificado en absoluto. Cuando me negué, mi esposo se volvió violento; se asociaba el que yo fuera a trabajar para con una oportunidad de conocer a los hombres. Lloraría toda la noche porque él podría abusar de mí ante los niños. Pero la niñera de mis hijos me abrió los ojos.

Según Lilie, se enteró de que su niñera había experimentado una vida matrimonial parecida antes de decidir divorciarse. Desafortunadamente para ella (niñera), ella nunca tuvo una buena carrera para seguir adelante. Fue maltratada durante mucho tiempo, pero cuando las palizas fueron demasiado, decidió ir a buscar trabajos ocasionales. Cuando Lilie escuchó su historia, se convirtió en una revelación para ella. Se dio cuenta de que realmente estaba viviendo con un narcisista que tenía problemas psicológicos.

Ella, por lo tanto, decidió grabar a su esposo durante una discusión una noche. Luego llevó la grabación abusiva a la corte, donde presentó una demanda de divorcio y custodia de los niños. Finalmente, obtuvo su libertad y juró no volver a tener una experiencia tan fea.

Estudio de caso # 2: Kelly se separa de su familia narcisista

"El momento en que supe que tenía que separarme de mi familia tóxica fue cuando murió mi padre", Kelly narró con tristeza su experiencia de que muchas personas en el grupo derramaron lágrimas. Ella recuerda cómo había estado tan cerca de su padre. Siendo primogénita en la familia, sus padres tenían grandes expectativas de ella y querían que ella obtuviera una mejor educación para que luego pudiera cuidar a sus otros tres hermanos.

Pero su sueño se detuvo cuando su padre fue diagnosticado con cáncer en 2014. Había sido el sostén de su familia puesto que era un banquero dedicado y un empresario a tiempo parcial. Cuando se enfermó, la madre de Kelly se hizo cargo del negocio, que manejaba con sus otras hermanas, que tenían 23 y 25 años respectivamente. Debido a las tensiones financieras, que iban desde la cuenta de hospitales, gastos de la casa, a los costos de la educación de sus hermanos menores, Kelly se vio obligada a abandonar sus estudios de postgrado de enfermería y buscó un internado en un hospital local. Hizo esfuerzos para contribuir al presupuesto familiar tanto como pudo, pero su madre no pudo apreciar ninguno de sus esfuerzos.

"Trabajé tanto de día como de noche porque quería que mi padre recibiera la mejor atención. Como su antiguo empleador no lo cubría por enfermedades crónicas, tuvo que renunciar y usar lo que generamos para sus facturas del hospital. Pero mi madre nunca estuvo allí para él en absoluto. Sentí que el negocio iba bien y que ella podía apoyar el tratamiento de mi padre sin esfuerzo".

Kelly describe cómo su madre dejó de tomar el cuidado del padre, diciéndole constantemente que ella y sus hijos necesitaba el dinero más porque les quedaban más días por vivir. El momento más doloroso que Kelly recuerda es cómo su madre abusó constantemente del padre por elegir un estilo de vida pobre,

"Ella culpó al mal hábito de mi padre y al consumo excesivo de alcohol de ser la causa de su cáncer. Ella incluso le dijo que era mejor que estuviera muerto que continuara drenando el menor dinero disponible ".

Aunque Kelly se aseguró de que cuidar a su padre, ella se deprimió debido al maltrato que vio de los otros miembros de la familia. Sus otros hermanos nunca se molestaron en ofrecer apoyo emocional al padre y nunca lo acompañaron al hospital. Siempre culparon a mi padre por estar enfermo y me culparon por descuidarlos al centrar toda mi atención en mi padre.

Debido a la tortura que recibió su padre, terminó su vida con una sobredosis de los medicamentos recetados para el cáncer,

"Recuerdo esa noche vívidamente. Había llevado a mi papá a casa antes de volver a trabajar por la tarde. Y cuando volví a casa, encontré la casa muy tranquila. Cuando fui a su habitación, él yacía allí impotente, con botellas de drogas esparcidas por el suelo. Pero no le quedaba pulso.

Kelly cree que los miembros de su familia no solo eran sádicos sino también narcisistas debido a su egocentrismo. Cuando el padre estaba vivo, cuidaba a su madre y a todos los hermanos. Sin embargo, cuando se enfermó, todos se volvieron contra él y lo culparon por sus enfermedades crónicas en lugar de ofrecerle apoyo.

Una vez que enterraron a su padre, decidió separarse de la familia para comenzar la vida en una ciudad diferente. Deseaba que las cosas fueran diferentes, pero no ha podido perdonarlas.

Capítulo 2: Modo Víctima

Vivir una vida de manipulación, violación y que te mientan puede tener graves consecuencias para ti como víctima. Curarse del daño que le dejó el narcisista puede ser difícil, principalmente si se culpa a sí mismo. Puedes preguntar cómo podría haber dejado entrar ese tipo de persona en tu vida. Alguien que te causó tanto dolor. Sin embargo, puedes romper las cadenas de manipulación y liberarte de ellas (si aún lo eres) y curarte del daño que te han causado.

Lo que hace que sea difícil de curar de un Abuso narcisista

La disparidad de la verdad: ¿por qué es difícil recuperarse del daño que ha causado el narcisista? ¿Por qué es tan difícil superarlo? Es la necesidad natural de los humanos tener una conexión con los demás. Ser atendido y también dar amor. Cuando otros te lastiman, el dolor no importará porque tienes a alguien que realmente se preocupa por ti. Pero, ¿qué sucede cuando el dolor es viene de quien te importa? Por lo general, puedes alejarte del dolor y de la persona, sin importar cuánto te importen. Pero con un narcisista, las cosas son diferentes.

Un narcisista inicialmente te colmará de amor y atención apasionados; Esto se llama bombardeo de amor. Te estudió a ti y a todos tus puntos detonantes. Lo que más te gustó y sobre lo que te sentiste inseguro. Luego lo usará para su ventaja; halagarte y tranquilizarte. Te sentirás bien al principio hasta que no lo hagas. Los Narcisistas usan el bombardeo de amor como una herramienta para desarrollarse como el amante o amigo perfecto. Tienen la intención de conquistarte para controlarte.

Lo que sucede con una relación narcisista es que te será difícil comprender lo que te está sucediendo. Te volverás adicto a su "amor", y te encontrarás siempre buscando su atención-deseo para su aprobación. Una vez que estés bajo su control, notarás comentarios hirientes aquí y allá. Lo ignorarás, pensando que es un error. Con el tiempo, verás que el comportamiento parece desagradable, por lo que te culparás a ti mismo.

La claridad en retrospectiva

Puedes ver los signos; cómo te trata, cómo te manipula. Sabes que mereces algo mejor. Pero cuando se trata de dejar ir, crees que no sobrevivirás sin ellos. Tus amigos y familiares incluso se preguntarán por qué estás con esa persona. Sin embargo, es posible que le resulte difícil responder porque no tienes una respuesta válida.

Según los psicólogos, la mayoría de las víctimas de narcisistas ni siquiera saben que están en una relación abusiva. Esto explica por qué la mayoría de ellos se quedan. Las personas asocian el abuso al físico. Debe comprender que la manipulación, el gaslighting (juegos mentales) y todas las formas de abuso psicológico y emocional son parte de la violencia.

Según el Dr. Craig Malkin, autor de Rethinking Narcissism (repensando el narcisismo), el narcisista encontrará un camino de regreso a tu vida a pesar de que no lo quieras. Un narcisista está en una batalla consigo mismo sobre si alejarte o tenerte en sus vidas. Por esta razón, cuando rompes la relación, encontrarán un camino de regreso para hacerte cambiar de idea. No se van sin luchar.

Sigues dejándolos regresar porque tu mente y tu corazón no están en la misma página. Tu corazón dice que te importa esta persona, mientras que tu mente dice que son tóxicos, y debes dejarlos ir. Esta falta de acuerdo puede durar meses o incluso años sin resolverse.

Impotencia aprendida

Imagina esta situación. Estás en medio del océano a miles de kilómetros de la civilización cuando ocurre una tragedia. Tu embarcación experimenta problemas de motor que no puedes solucionar. No llevabas un teléfono o algo con lo que pudieras pedir ayuda. Entonces, ¿Qué haces? Nada. Tal vez sentarte y esperar un milagro.

Estar en una relación narcisista es similar a estar en un bote dañado en medio del océano. Te sientes impotente porque no tienes el control.

La impotencia no ocurre abruptamente en una relación tóxica. Te someterá a situaciones abusivas. Los insultos regulares, las manipulaciones y los juegos mentales eventualmente te harán sentir que no tienes control sobre lo que está sucediendo en tu vida. Con el tiempo, te sentirás inmovilizado. Te sentirás incapaz de atender tus propias necesidades, incluso las que parecen simples. Un narcisista abusará de ti hasta que la impotencia se internalice.

La sanación será difícil cuando te sientas impotente. Sentirás que no mereces ser feliz o estar libre de abuso.

La impotencia aprendida también te hará indefenso. No podrás hablar o buscar ayuda de aquellos que pueden ofrecer asistencia. Tampoco podrás confiar en las personas debido al dolor y al daño que experimentaste.

En la mayoría de los casos, una víctima de una relación abusiva terminará en otra relación tóxica si no se sana. Te sentirás atraído por personas que tienen rasgos similares a los de tu ex porque sientes que no mereces algo mejor.

El camino solitario

Una víctima de una relación narcisista tendrá dificultades para sanar debido al viaje solitario. La soledad comenzará bastante temprano en la relación. Tu amante te aislará de tus amigos y familiares y te hará creer que estás solo.

El amor y la atención pueden haberte llevado a los brazos de una pareja abusiva, pero la falta de control podría ser el pegamento que te mantuvo allí.

Una pareja narcisista que te hizo creer que no podrías sobrevivir sin ellos implantará un control total sobre tu vida que te hará sentir impotente sin ellos. Sus esfuerzos irían a hacerte creer que la vida ahí fuera es difícil. Por supuesto, esto no es cierto a menos que no consigas un sistema de apoyo.

Si tus esfuerzos por buscar ayuda no tienen respuesta, te acostumbrarás a vivir solo. Lentamente te darás cuenta de que las cosas siempre serán difíciles para ti. Que no importa lo que hagas, estás solo.

Cuando tu familia intenta ayudar pero no puede entender tu situación, solo te frustrará y te llevará a alejarte. Te encontrarás tolerando el dolor durante demasiado tiempo. Las víctimas de los narcisistas terminan en un solitario viaje de dolor y vergüenza por lo que han experimentado.

Miedo a lo desconocido

Aunque lo más lógico sería alejarse de una relación tóxica, el miedo a lo desconocido te detendrá. Independientemente de lo infeliz que seas, tu desconfianza del mundo hará que te quedes en la relación.

El miedo a lo desconocido te impedirá curarte del daño causado por tu amante narcisista. Al igual que la soledad, tu pareja te hará creer que la vida sin ellos es difícil. Estarás condicionado a pensar que no hay nada mejor para ti allá afuera.

El miedo a lo desconocido también hará que no imagines un futuro mejor para ti. Cuando otras personas visualizan la serenidad y la existencia pacífica para sí mismas, en su caso, los pensamientos serán tan extraños. A través del comportamiento de tu pareja, estarás convencido de que no hay nada mejor para ti. Que el futuro está en blanco y cada paso que das hacia él está condenado.

Atrapado en el miedo, descartarás cualquier esperanza de sistemas de apoyo disponibles por ahí. Ni siquiera considerarás si otras personas están experimentando lo mismo. Al caminar, es posible que veas personas felices en las calles, pero no se te pasará por la cabeza pensar que también podrías ser feliz.

Una víctima de una relación narcisista se acostumbrará al abuso hasta que crea que así es el mundo. Se dirá a sí mismo que es mejor quedarse en un lugar donde esté familiarizado, a diferencia de lo desconocido. Si tuvo una relación tóxica previa, renunciaría a la idea de irse. Según tú, el mundo es igual.

El miedo a lo desconocido te impedirá formar relaciones saludables y terminar viviendo de forma aislada.

Estableciendo los hechos

Quizás te preguntes por qué una persona elegiría quedarse en un lugar que no sea propicio para ellos. O por qué alguien querría aferrarse al dolor. Lo que ocurre es que cuando estás expuesto al abuso durante un tiempo prolongado, salir se vuelve difícil.

Las víctimas pueden aferrarse al dolor o permanecer en una relación tóxica debido a una variedad de razones: miedo a irse, por el bien de los niños y la idea de que la pareja cambiará. Pero la verdad es que retener el dolor por cualquier razón no te hace justicia.

El narcisista en tu vida planeó todo desde el principio. Después de estudiar y conocer todos tus puntos débiles, elaboró un plan para conquistarte. Terminaste enganchado a su "amor". Necesitaba que fueras lo que eres. Eras su público objetivo.

Un narcisista necesita una audiencia. Por lo tanto, cultivarán relaciones rápidamente con cualquiera que pague por escuchar. A medida que su fachada comienza a caerse, y su realidad comienza a asentarse, tratarán de ocultar sus deficiencias. Temen que las personas vean sus defectos a la persona que son.

El narcisista tiene un sentido inflado de sí mismo. Todo lo que hacen gira en torno a ellos. Harán todo a expensas de los demás. Según Jacklyn Krol, psicoterapeuta y trabajadora social clínica con licencia, los narcisistas hablan de sus logros y éxitos con grandiosidad. También exagerarán lo que han logrado para impresionar a su público.

Como víctima, cuando finalmente elijas ver a través de su fachada, te darás cuenta de lo superficiales que son. Notarás cómo todas las conversaciones que mantuviste se centraron en ellos y en sus vidas.

Él/ella notó cuán empático eras y te eligió como su objetivo. La mayoría de las personas con trastorno de personalidad narcisista tienen baja autoestima, según Shirin Peykar, un terapeuta licenciado en matrimonio y familia.

No esperes que cambien

La verdad es que las personas no se rompen fácilmente; solo cambian cuando quieren. Él nunca va a ser la persona que deseas que sea. Muchas veces, puedes encontrarte recordando los momentos pasados, donde fue dulce y amoroso. Sin embargo, debes recordar que todo fue un juego. Un plan para conquistarte.

Un narcisista solo piensa en sí mismo. Cualquier cosa que haga se centra en sus necesidades. Puedes aferrarte a la esperanza, pensando que él cambiará. Quizás se pregunte por qué cambió para peor y no para mejor. Pero algo que debes recordar es que, aunque el cambio es posible, alguien debe desearlo.

Comprende que mereces la felicidad y que esperes que cambien no te ayudará de ninguna manera.

La mayoría de las veces, el narcisista promete cambiar. Esto te dará esperanza por un tiempo hasta que no sea así. Sin ningún esfuerzo por cambiar o buscar ayuda, sus promesas de cambio serán una forma de buscar control sobre ti.

Si elige cambiar, tendrá que pasar por este proceso:

- Debería entender que sus acciones te están causando daño
- También debería despreciar tanto el comportamiento como para querer dejarlo ir
- Al tomar una decisión negativa sin saberlo, debe retractarse de inmediato y tomar una mejor.
- También debe saber que tiene una opción en cada situación, incluida la forma en que elige tratar a los que lo rodean.

Nunca fuiste el problema: en una relación narcisista, las víctimas se culparán a sí mismas por el comportamiento de su pareja, según Jacklyn. Te dirás a ti mismo: "fue bueno cuando nos conocimos y durante nuestras primeras citas. Entonces, debo haber hecho algo que lo hizo cambiar". Pero esto no está bien.

Las personas con un trastorno narcisista de la personalidad no se preocupan por los sentimientos de otras personas de ninguna manera. Así que deja de culparte por su comportamiento. Nunca fuiste un problema.

Los narcisistas exhiben una imagen grandiosa de sí mismos. Piensan que solo ellos importan y que solo deberían asociarse con personas de una clase superior a ellas. Los narcisistas buscan la admiración de quienes los rodean, por lo que exagerará sus logros y logros.

El trastorno de personalidad narcisista puede ser innato o adquirido. Por lo general, esto sucede durante la infancia. Si sus padres o tutores fueron críticamente duros con él, esa podría ser la causa. Según Heinz Kohut, un psicoanalista en un estudio sobre sus clientes, observó lo siguiente: los narcisistas pasaron por una vida de alienación, impotencia y vacío. Carecían de las estructuras para formar relaciones estables y significativas y una autopercepción positiva.

Cuando tienen una imagen negativa de sí mismos, la vergüenza se establece y se la quitan a los demás. Degradan a los demás a sentirse bien consigo mismos. Proyectan sus inseguridades a través de la manipulación de otros, especialmente aquellos cercanos a ellos. Para las víctimas que no se dan cuenta de esto, terminan culpándose a sí mismas.

No debes sentir lástima por él / ella: para una persona empática, es razonable sentir lástima por las personas que lo rodean, incluido su amante / amigo narcisista. Sin embargo, debes recordar que las personas con un trastorno narcisista de la personalidad sufrieron una lesión emocional desde una edad temprana. Por esta razón, son incapaces de sentir lástima por nadie más que por ellos mismos. Puede que no creas que la persona que te mostró amabilidad y simpatía resultaría ser un narcisista.

Muchas veces, las víctimas de un narcisista tratarán de disculparse por sus malas acciones. Por lo general, esto sucede cuando notan tus intentos de abandonarlos. Ellos te suplicarán que no los dejes.

Un narcisista utilizará la manipulación para llegar a la audiencia objetivo y evitar cualquier responsabilidad. Una vez que comprendas cómo funciona una mente narcisista, no sentirás pena por sus acciones.

El narcisista sabe lo que está haciendo: la realidad es que cada persona tiene un poco de narcisismo en ellos. Pero el narcisista, obtienen una puntuación más alta que el resto de nosotros. Su movimiento es cuidadosamente planeado y ejecutado.

Cada persona comete un error, y lo que diferencia a un narcisista del resto es la falta de voluntad para hacerse cargo de sus elecciones. Por lo general, cuando una persona comete un error, se responsabiliza y se disculpa humildemente por ello. Sin embargo, el narcisista ni siquiera pide perdón cuando se equivocan. Él elegirá ofrecer una disculpa falsa para ponerse de buenas contigo.

Pero la verdadera pregunta es, ¿cambia él después de la disculpa? La verdad es que cuando un narcisista se disculpa, lo hace por sí mismo y no porque le importen tus sentimientos.

Según la autora de la curación del abuso oculto, Shannon Thomas, los abusadores emocionales y psicológicos, saben lo que está haciendo. Conocen los botones correctos para presionar. Saben cuándo apagar sus tendencias manipuladoras. Saben qué hacer para obtener una respuesta de sus víctimas. Esto muestra que son seres inteligentes, personas que saben lo que están haciendo.

La piedra angular de la sanación

Comprende que es posible sanar. La mayoría de las víctimas de una relación narcisista tienen dificultades para recuperarse debido al daño a su autoestima. Como se mencionó anteriormente, la curación es posible. Esto es lo que debe hacer primero:

Pregunta por qué

Si te preguntas por qué te sucedió esto, se abrirán muchas puertas a cosas que nunca has conocido. Por ejemplo, por qué eras su objetivo. Cuando hagas estas preguntas, obtendrás muchas ideas que ayudarán a prevenir una situación similar en el futuro. Del mismo modo, esto creará una oportunidad para que usted elija sanar.

Cuando comprendas por qué fuiste el objetivo, encontrarás formas de fortalecer sus debilidades. Esto significa que, en el futuro, puedes ver a través de la falsedad de una persona.

Sé específico

Cuando reflexionas por qué fuiste la víctima; Es aconsejable ser exacto sobre lo que exactamente te convirtió en el objetivo. ¿Eres empático? ¿Estabas desesperado por amor y atención? Los narcisistas estudian a sus víctimas antes de hacer un movimiento. Por lo tanto, es mejor saber qué es exactamente lo que lo provocó.

Sé amable contigo mismo

Es importante no culparte por las acciones de los abusadores. Cuando comprendas que algunas cosas están fuera de tu control, te resultará más fácil curarte y soltar.

Las acciones narcisistas se basan únicamente en sus deseos, aunque él elija como a su víctima, entiende que no tiene nada que ver contigo.

Sé inteligente

Cuando ocurra la curación, tendrás más cuidado con el tipo de personas que dejas cerca de ti. Ya no caerás fácilmente en los bombardeos amorosos de un interés amoroso. Puedes optar por alejarte cuando la relación muestra signos de manipulación. Significa que puede decirle a una persona que retroceda cuando notas que todo se trata de ellos.

Ser inteligente en las decisiones que tomes te ayudará de gran manera. Además de la curación, podrás comprender mucho sobre diferentes personalidades humanas. Es esencial lidiar con las heridas del pasado y perdonarse a sí mismo para poder avanzar.

Mantente en la cima

Ningún hombre es una isla. Sal y conoce gente nueva. Puedes buscar la ayuda de grupos de apoyo, que te ayudarán en el viaje de recuperación. Al igual que cualquier otro problema, el tuyo tiene una solución, y la curación es parte de ella.

También puedes optar por ser un modelo a seguir para otros que están pasando por una situación similar. Esto generalmente ocurre cuando confías en que has lidiado con todas las cosas hirientes.

También notarás que al ayudar a otros, podrás sanar todas las heridas. Esto se debe a que, en un grupo de apoyo, las personas te admirarán y te respetarán, lo que no obtuviste en la relación con el narcisista. Verás que es posible ser amado y respetado.

Como se muestra en este capítulo, hay muchas cosas que pueden dificultar que las víctimas traten con el narcisista en sus vidas. Sin embargo, también es posible que se recuperen del abuso.

Capítulo 3: Deshacerse de la pseudo-personalidad

Como se discutió anteriormente, el término pseudo-personalidad se refiere a falsedad o pretensión. Por lo tanto, la psicología de la pseudo-personalidad está muy ligada a la práctica de la falsedad. También es mejor pensarlo como uno que domina una personalidad pre-culto. Como tal, no debe confundirse con diferentes personalidades múltiples. Y, hasta cierto punto, se conoce como un clon del líder de las mismas ideas, creencias, así como valores e incluso comportamientos. Esto significa que un pseudo también es un individuo que finge muchas cosas. Por ejemplo, podría ser un intelectual que intenta convencer a alguien más de que tiene una mente bien educada. En este caso, pueden no poseer tal grandeza. Una pseudo-celebridad puede ser un infame individuo que piensa que es sobresaliente por hacer algo. En el sentido real, pueden no ser tan famosos. Pero, habiendo entendido los rasgos de una pseudo personalidad, ¿cómo puede un individuo deshacerse de ella? ¿Cómo puedes saber que tienes una pseudo personalidad?

Cómo a reconocer tu Pseudo-personalidad

En este capítulo, investigamos las posibles explicaciones para el extenso desarrollo de la pseudo personalidad, que también se conoce como culto. También profundizamos en cómo se forma. Investigamos la duplicación de la pseudo personalidad, su adaptación y disociación. Argumentamos que este es uno de los conceptos más propuestos de introyecciones. Brevemente, discutimos varios problemas de recuperación con respecto a la visión propuesta de la personalidad centrada en el culto. Con ese fin, también abordamos lo que se necesita para reconocer su pseudo personalidad. Cuando una persona nace en una familia que es de alto control por naturaleza, impone una separación importante de las formas del mundo. Por lo tanto, el individuo desarrolla una pseudo-personalidad a partir de esa tierna edad. En muchos casos, están sujetos a diferentes expectativas, así como a las demandas utilizadas en la creación de presentaciones junto con la conformidad.

Aparte de eso, una persona que tiene una pseudo-personalidad está expuesta en gran medida a dos formas diferentes del mundo. Por ejemplo, viven en el mundo real. Pero también pueden estar unidos al mundo de culto insular. Esto es especialmente común en personas que han asistido a una escuela pública. Los dos mundos, que son distintos entre sí, tienen valores y creencias diferentes pero únicos. En ese sentido, es vital conocer el sistema válido para que no se quede confundido o en conflicto de ninguna manera. Tendrá que tomar una decisión en función de qué mundo es más seguro para usted. También deberá identificar las condiciones clave que pueden facilitarle la vida. De esa manera, te darás cuenta de que ningún mundo es más seguro de forma aislada. Al mismo tiempo, al ser una persona joven que está sujeta al mundo de la pseudo personalidad, encontrará diferentes síntomas de depresión y ansiedad. La intensa presión añadida al pensamiento, así como a la actuación de dos formas principales, introduce la identidad de culto.

La pseudo-personalidad reprime el yo original de una persona mientras disocia el elemento defensivo en un individuo. Por lo tanto, a menudo le permite a la mente hacer frente fácilmente y luego adaptarse a las intensas demandas de un grupo de entornos. Con ese fin, se aplastan el pensamiento crítico, las preguntas, además de los sentimientos. En cierto modo, la persona se vuelve egoísta y desleal, entrando así en un cierto sentimiento de indiferencia. Con los años, la vergüenza tóxica se convierte en la norma. La dependencia junto con la inseguridad se convertirá en otro aspecto añadido a este trastorno de la personalidad. Se crea a tu tierna edad a medida que creces. Por esa razón, tratas al mundo como tu enemigo. Su verdadero ser se ahoga para recibir alguna forma de aceptación de la comunidad. También buscarás el amor y la compasión de tu familia. Esto significa que tu percepción de ti mismo está en gran parte destruida. La vergüenza se apodera de tu personalidad.

En la pubertad, te vuelves más culpable de las acciones de las que no eres responsable. A partir de entonces, comenzarías a perder amigos y tu familia extendida inmediata. En algún momento de tu vida, te darás cuenta de que el riesgo de cerrarse en un brote es más doloroso e inquietante que el de florecer. Cuando llegues a los treinta, profundizarás en la autodestrucción. Las personas que te controlan se asegurarán de que esto ocurra.

Además, los niños criados en diferentes cultos religiosos pueden estar sujetos a altas expectativas por parte de los ministros y los padres para someterse a las diversas enseñanzas grupales. También estarán sujetos a una intensa presión basada en pensar y actuar de dos maneras diferentes que causan una identidad de culto. Así es como la pseudo-personalidad o de culto comienza a formarse. Reprime su ser original de diferentes maneras. También disocia la mente para hacer frente a las demandas contradictorias e intensas de un determinado entorno. Como adulto, cuando te asocias con un grupo totalitario con el que no pasaste tu vida más joven, se te animará a reconectarte con tu yo más viejo antes de unirte a la vida destructiva. Desafortunadamente, los niños pequeños que han crecido en un ambiente opresivo encuentran dificultades con la pseudo-personalidad ya que el verdadero yo y las habilidades de pensamiento crítico del niño no pueden desarrollarse.

Además, un niño criado en una estructura rígida tiene que aprender a vivir de acuerdo con dos reglas diferentes: la visión general del mundo y las enseñanzas del culto. Cada elemento descrito en estos mundos tiene algunos aspectos únicos. Ambos tienen valores y enseñanzas diferentes también. Por esa razón, el niño se quedará cuestionando la validez de cada sistema. También pueden terminar confundidos ya que las creencias conflictivas sobre el mundo plantean diferentes preguntas en sus vidas. Tales niños también pueden internalizar un punto de vista importante de que el mundo no es seguro. Por lo tanto, se aislarán dentro de sí mismos. Si hay alguna forma de respuesta o abuso emocional junto con un trauma en la familia, entonces el niño, sin duda, perderá su identidad propia.

En los casos pasados en los que un grupo abusivo ha denigrado las habilidades de pensamiento independiente al crear dependencia e inseguridad dentro de la personalidad del niño, no se permitieron preguntas ni protestas de ninguna manera. En muchas de las situaciones abusivas, a menudo se hacía sentir al niño que no era digno de muchas maneras. El niño, temeroso, se volvió anormal y desconfió de varias figuras de autoridad, incluidos los maestros y el cuerpo de aplicación de la ley. Debido a que el mismo ha sido considerado como el enemigo, tales niños no podrían recurrir a sus padres en busca de ayuda. A medida que avanzaban para pensar y comportarse como a menudo fueron entrenados por sus padres en la estructura familiar, o mejor aún, en el grupo, sofocaron su personalidad inicial mientras rechazaban los pensamientos independientes tanto egoístas como desleales. Esto tuvo un impacto en sus vidas de tal manera que la autopercepción del niño se distorsionó. Al mismo tiempo, se creó un marco de culpa en sus mentes. Estos niños terminaron devaluándose a sí mismos y a sus sentimientos.

Los niños con temperamentos fuertes fueron considerados rebeldes si no resistentes. Pero tales individuos pueden haber terminado haciendo una transición viable efectiva a la comunidad después de su reubicación en un entorno diferente. Parte de llegar a comprender quiénes son puede ser tan simple como descubrir los conceptos básicos de sus gustos personales. Por ejemplo, ¿cuál es el color personal de un individuo? ¿Qué prefieren comer? ¿Les gustan los perros o los gatos? ¿Prefieren el invierno al verano? Si esa persona pudiera ir a cualquier parte del mundo, ¿dónde estaría? Estos son algunos de los elementos básicos que pueden ayudar a un niño sobreviviente a comprender que hay un yo original que tiene preferencias como gustos y disgustos y puntos de vista.

La pseudo-personalidad también implica una amplia gama de justicia propia y un importante patrón de engaño en la relación. Algunos pueden aprovecharse de otros, también. Para comprender completamente la pseudo personalidad, compilamos una lista de hasta 5 comportamientos típicos de tales individuos, basados en la opinión de expertos y en la investigación. En esta lista, te darás cuenta de que las pseudopersonalidades tienen rasgos comunes. Pero los comportamientos mencionados no deben usarse como una forma de diagnóstico, ya que pueden dar una idea impecable sobre por qué alguien puede tener una pseudo personalidad.

Según Psychology Today, una pseudo-personalidad se refiere a una persona que tiene un trastorno de personalidad grandioso junto con una falta de empatía por los demás. Tal individuo también puede necesitar admiración de los demás. Estos rasgos hacen que una pseudo-personalidad sea difícil de pasar el rato porque siempre están dispuestos a controlar a las personas. Además, también son despiadados al manipular a las personas para que hagan lo que deseen. Para ayudarte a descubrir si tú o alguien más cercano a ti tiene una pseudo personalidad, hemos creado una lista de patrones alarmantes para observar.

- Se da importancia a si mismo.
- Una creencia de que son más especiales que otros.
- La necesidad de admiración en un nivel diferente.
- Algún sentido de tener derecho a ciertas cosas.
- Falta de empatía.
- Envidia.
- Arrogancia.

Aparte de eso, las personas con una pseudo-personalidad pueden verse fácilmente afectadas por las críticas y la derrota. Por lo tanto, pueden reaccionar fácilmente con desdén y enojo. Sin embargo, también puede seguir el retiro social. También pueden tener cierto sentido de derecho, lo que puede llevarlos a ignorar a otras personas de muchas maneras. Como resultado, las relaciones pueden verse dañadas. Si bien una pseudo-personalidad puede ser una persona que rinde mucho, el trastorno puede tener un impacto negativo en su desempeño. Esto se debe a su sensibilidad a la crítica.

Los desafíos de tratar con una pseudo personalidad

Comprender su ego frágil podría ser un gran desafío

Una persona con una pseudo-personalidad tiene un ego autoinflado. Tal individuo generalmente está absorto en sí mismo hasta el punto de ignorar las necesidades de otras personas. Por lo tanto, puede que no haya otros dioses adicionales en su mundo. Incluso en el caso de que tal persona diga que cree en un ser superior, es posible que no reconozca completamente la presencia de Dios. Para ellos, el ego lo gobierna todo. Cuando se trata de una pseudopersonalidad, por lo tanto, puede ser un desafío identificar el ego de esa persona. Además, su ego ama tanto el placer como el dolor.

Comprender su capacidad para cambiar de marcha del mundo real al falso

La idea de que el carácter de alguien puede ser determinado por una visión de su belleza física en la antigua era de Grecia. En el siglo XVIII, se sabía como una idea popularizada que fue utilizado como un tema de conversación en los círculos intelectuales de los psicólogos. En el mundo de la pseudo-ciencia, una persona con una pseudo-personalidad es conocida por cambiar de marcha con frecuencia. Tal individuo puede pasar fácilmente de la grandiosidad a comportarse como una persona que a menudo es mejor que el resto. Puedes ver la pseudo-personalidad como una persona que acosa el crédito de los logros de otras personas mientras se beneficia a los heridos o la desgracia.

Al mismo tiempo, las pseudo-personalidades victimizadas buscan constantemente un individuo crédulo que pueda creer fácilmente su versión de una historia, independientemente de su realidad o exageración. Lo que esas personas afirman es el hecho de que tienen diferentes calamidades. Estas calamidades pueden hacerlos egoístas y egocéntricos de varias maneras. Con ese fin, debes ser consciente de tales personalidades ya que son manipuladoras. En el momento en que identifiquen el hecho de que no compartes sus emociones o las mimas de la manera que quieren, te eliminarán de sus vidas.

La pseudo-personalidad es bastante controladora

Se sabe que la pseudo-personalidad controla de muchas maneras. Como tal, realmente no destruye a alguien por completo. Suprime a una persona al dominarla. Además, se sabe que quiere una cosa en este momento y otra diferente en otro momento.

Con todo, la pseudo-personalidad está programada para inclinarse hacia el deseo de buscar su sed. Esto suele ser lo contrario de la personalidad normal. Si bien la personalidad real puede centrarse en querer salir del abuso, el pseudo a menudo está programado para permanecer en él. Ese es un desafío importante para tratar con esa personalidad, ya que siempre tiene el control. Dicho esto, mientras la personalidad programada esté a cargo, te resultará difícil tratar con una pseudo-personalidad.

Puede ser difícil identificar la esencia de una pseudo-personalidad

Por lo general, el líder de culto, que también se identifica como el jefe de la pseudo-personalidad, se presenta como un modelo ideal a cargo del grupo. El individuo puede usar fácilmente trucos de manipulación para idealmente hacer que su vida y otros proyectos sean exitosos. Luego, el resto de los miembros del equipo creen que serían más felices si vivieran como su líder. Como víctima de tales circunstancias, puede resultarle difícil identificar dichos elementos en una pseudo-personalidad.

Una pseudo-personalidad es un mentiroso profesional

Una pseudo-personalidad es un mentiroso patológico. El individuo cuenta mentiras e historias que pueden caer entre delirios y mentiras conscientes. A veces, pueden creer sus mentiras. Por lo tanto, se convierte en un desafío comprenderlos, incluida la forma de lidiar con esos problemas en los que intervienen mentiras. Algunos de estos mentirosos lo hacen a menudo de tal manera que incluso los expertos especializados en psicología no pueden decir lo que está sucediendo.

Además, es posible que los profesionales ni siquiera entiendan la diferencia entre los hechos presentados en la mesa y la ficción dada después de un tiempo. Siendo mentirosos patológicos, tales individuos tienden a acercarse a ti de forma natural en su búsqueda para manipular a los demás. No solo son creativos sino también originales. También son pensadores rápidos, de modo que no exudan signos comunes de decir mentiras, incluidas las pausas y la evitación. Cuando se le pregunta, una pseudo-personalidad puede decir más de lo que se le ha preguntado sin ser específico con respecto a la pregunta.

Puede ser difícil lidiar con su mal genio

Una pseudo-personalidad tiene una construcción psicológica que a menudo describe una reacción importante a su lesión. Con demasiada frecuencia, esto se conceptualiza como una gran amenaza para su autoestima y valor. Dicho esto, una pseudo-personalidad es conocida por tener un temperamento desalmado causado por una interacción previa con alguien que puede haberlos herido. Este es el caso cuando el individuo cae en desgracia en que incluso se revela su carácter oculto. También es el caso cuando se cuestiona su valor y su importancia. Una lesión de pseudo-personalidad es causada por angustia. Por lo tanto, puede conducir a la desregulación de los comportamientos. Como también tienen un mal genio, pueden mantener esos rasgos ocultos de ti.

La pseudo-personalidad siempre será una víctima

Todos han sido víctimas en algún momento de la vida. De hecho, algunos han culpado a sus hermanos por algo que quizás no hayan hecho. Otros incluso han señalado con el dedo a un compañero de trabajo por arruinar una tarea. Si bien esto a menudo puede ser manipulador en muchos casos, también está claro que las personas con una pseudo-personalidad representan a la víctima en diferentes casos cuando son culpables.

Romper la maquinación

Hablando honestamente, una persona con una pseudo-personalidad no es alguien con quien deberías asociarte. Esto se debe a que si sufres daños emocionales y físicos de los que nunca te recuperarás. Dicho esto, es posible que no te des cuenta de que esas personas tienen los rasgos mencionados. Dado que es tan frecuente en los EE. UU., Existen buenas posibilidades de que hayas animado a muchas de esas personas a estar en tu vida. Incluso si no lo hiciste, es probable que no estés en condiciones de detectarlos al instante. Pero, debido a su potencial para enmascarar a sus personajes, encontrarás que es necesario identificar aspectos específicos de su comportamiento.

Aquí hay algunos consejos para romper la maquinación:

Niégate a comprometerte con un individuo que tiene una pseudo-personalidad

Si quieres desenredarte de la etiqueta de una pseudo personalidad, entonces puedes comenzar negándote a asociarte con ellos. Esquiva el daño emocional y físico que proviene de tratar con ellos. Para ser más específicos, la única forma importante de tratar con ellos es evadirlos.

Establece si la conversación siempre debe ser dirigida por ellos

Si desea identificar una pseudo-personalidad entre sus amigos y familiares, considera evaluar si siempre dirigen todas las conversaciones hacia ellos mismos. Esto implicaría que no solo están centrados en sí mismos, sino que se centran en dirigir cada ángulo de discusión hacia lo que preferirían escuchar. De esa manera, puedes separarte fácilmente.

Comprende que son tomadores y no dadores la mayor parte del tiempo

En el mundo de la psicología, hay dadores (o donantes), tomadores, así como también igualadores. Si bien los dadores siempre descubrirán cómo pueden ser de ayuda para los demás, los tomadores siempre se centrarán en ser los destinatarios. Por otro lado, los igualadores se concentrarán en jugar tit for tat (una cosa por otra) en muchas ocasiones. A la larga, sin embargo, hay un giro en todos los aspectos, ya que hay casos en que los dadores se comportan como tomadores y viceversa. Las personas con una pseudo-personalidad se comportan como dadores, pero terminan tomando todo de sus seres queridos, solo para encontrar consuelo. Eso implica que si estás en una relación con una persona así, puedes terminar perdiendo todo lo que tienes a expensas de la amistad o algo así. Al final, no estarán dispuestos a devolver o corresponder de ninguna manera. Para estar seguro mientras te relacionas con tales individuos, debes estar interesado en observarlos desde la distancia.

La mayoría de estos fenómenos disociativos no son necesariamente el resultado de síntomas de enfermedades. Sin embargo, representan en gran medida un comienzo continuo de modulación psico-biológica normal junto con información entrante que puede almacenarse a largo plazo. Como tal, el estrés ambiental prolongado junto con situaciones de la vida habitual pueden interferir con las funciones integradoras de la personalidad de un niño. Las personas expuestas a tales fuerzas pueden terminar adaptándose por disociación.

Capítulo 4 – Sanación del niño interno

Cada persona es el resultado de su historia. En otras palabras, usted es la persona que es hoy debido a las experiencias colectivas que han ocurrido en su pasado. Cada encuentro, cada experiencia, cada pensamiento, cada dolor y cada decisión han culminado en la creación de la persona que eres hoy. Esto se debe a una teoría dominante del desarrollo que afirma que fueron productos de nuestros entornos. Esto incluye tus entornos sociales y físicos, así como tu entorno interno en términos de pensamientos y experiencias internas. La importancia de estos hechos se encuentra en el papel del entorno de dar forma a quien eres desde la infancia. Los psicólogos creen que sus años de formación en la infancia apuntalan en quién se convierte en adulto. Esto se debe a que tu cerebro es más impresionable y frágil entre las edades de 0 a 7 años. Esto da como resultado la formación de creencias, ideas y conceptos de quién eres tú y qué debes hacer para ganar aceptación dentro de la familia, los amigos y la sociedad en general.

Si bien estos procesos son en gran parte subconscientes, su importancia en tu vida es mucho más gigantesca de lo que te gustaría imaginar. Esto se debe a que las experiencias absorbidas de la infancia permanecen contigo hasta la edad adulta, existiendo solo en el subconsciente pero manifestándose en las decisiones y acciones cotidianas. Es dentro del contexto que emerge el concepto del niño interior. Si bien una persona puede desear ignorar este concepto como otra fascinación de la psicología popular, es bastante fácil notar su existencia en tu vida cotidiana. El niño interior es en gran medida un espíritu libre que ama la diversión, la creatividad y la imaginación. Todos estos elementos cobran vida en varios momentos durante tus actividades cotidianas. Sin embargo, la falta de conciencia significa que es imposible capturar su presencia. Por ejemplo, cuando estás atento, puedes notar al niño interior cuando te pierdes en actividades divertidas, disfrutas de un juego de un tipo u otro o recuerdas con cariño una foto antigua. El niño interior también es evidente durante situaciones en las que te enfocas en complacer a tus padres y a otros miembros de la familia.

¿Cómo sucede?

Por lo tanto, el niño interior es considerado como la psique que encapsula las cualidades que tenías cuando eras niño. En este caso, por lo tanto, puedes considerar aspectos como la curiosidad, la espontaneidad y la alegría que caracterizaron su infancia. Además de los recuerdos rosados y felices, también puedes llevar subconscientemente la carga de un pasado herido basado en los encuentros traumáticos y aterradores. Se ha encontrado que las experiencias negativas cicatrizan y hieren a tu niño interior. Dejando impactos duraderos en cómo te relacionas y te articulas con tu entorno.

La aparición de un niño interno herido se produce como resultado del subdesarrollo mental y psicológico que no está equipado para lidiar con las emociones y los sentimientos asociados con la mayoría de los desafíos que definieron su infancia. En otras palabras, en ausencia de habilidades cognitivas apropiadas para comprender la dinámica de tu entorno, terminas con una acumulación de emociones no procesadas que se convierten en un factor definitorio de su mente subconsciente. Según los psicólogos, por lo tanto, las emociones incrustadas se convierten en marcadores cruciales en la vida de una persona, a menudo causando muchas de las dificultades que enfrenta en sus relaciones, comportamiento y sentimientos.

Las emociones reprimidas a menudo se hacen evidentes en su vida a través de su comportamiento, relaciones y actividades. Esto se debe a que los problemas no resueltos en su infancia a menudo son evidentes a través de la proyección de roles de figuras significativas en su infancia en las relaciones actuales. Desde un punto de vista psicológico, esto ocurre porque inconscientemente quiere resolver problemas de su pasado recreando situaciones similares. Para apreciar aún más este concepto, puede considerar el ejemplo de una persona que tiene problemas no resueltos con su padre y, como tal, proyectará estos sentimientos a su jefe o cualquier otra figura de autoridad. Las emociones reprimidas también pueden manifestarse en su vida a través de numerosos trastornos mentales que incluyen problemas de identidad, baja autoestima, dificultades psico-sexuales y conducta criminal. Además, también puede notar casos de falta de creencia y confianza en usted mismo y en los demás, el desarrollo de varias adicciones y la falta de amigos genuinos en tu vida.

Si bien estos ejemplos no cubren la totalidad de los aspectos de un niño interno herido, sí ofrecen ideas cruciales sobre cómo no abordar al niño interno puede afectar directamente la calidad de tu vida. Al apreciar el impacto de las emociones no resueltas y reprimidas en tu vida, así como la presencia de tu niño interior, está iniciando un proceso de transformación como ningún otro. A diferencia del amor y la atención que puede mostrar a tu hijo, mascota, amigo o miembro de la familia, reconocer a tu niño interior crea espacio para el inicio de una experiencia transformadora como ninguna otra. La liberación de tu mente de las numerosas cargas mentales y emocionales que definen tu vida actual radica en la capacidad de abrazar a tu niño interior. Esto es seguido por un esfuerzo deliberado y consciente de iniciar un proceso de curación que te hará volver a ser completo.

El proceso de contacto es, por lo tanto, vital en el sentido de que te permite reiniciar el vínculo cortado con tu niño interior. Por más abstracto que parezca, tu creencia total en este proceso ofrece beneficios sin precedentes para tu vida actual y futura. El contacto se realiza a través de un proceso reflexivo objetivo que está diseñado para ayudarte a aceptar el inicio de tu fase de dolor en la vida. La visualización es la más adecuada a este respecto. Se trata de imaginarte a ti mismo como un niño desde tan lejos como puedas recordar y explorar los momentos felices, tristes, atemorizantes o alegres que formaron parte de tu infancia. La paciencia y la vitalidad son vitales para lograr este objetivo debido al hecho de que hacen posible que tu cerebro descubra las emociones ocultas y la experiencia que caracterizaron tu educación. Este proceso puede demorar hasta una hora o más y se debe realizar de manera integral para garantizar que todas las perspectivas hayan salido a la luz.

Al encontrar parte del dolor residual y la negatividad de tu experiencia infantil, es probable que surja el sentimiento de odio. Sin embargo, debes centrarte en descubrir las emociones subyacentes en lugar de reaccionar ante ellas. Esto significará mantener un sentido de compasión y comprensión para ti y aquellos que podrían haberte causado el dolor. Al comprender y validar el dolor que se lava sobre tu cuerpo, te estás haciendo cargo principalmente de una experiencia que habías bloqueado durante años. Es en este punto que debes hablar con tu niño interior. Si bien esto es pura imaginación y visualización, ayuda a tu mente subconsciente a revelar algunos de los desafíos subyacentes y cómo continúan obstaculizando tu vida. Crear espacio para la comunicación y la conversación con tu niño interior hace posible que el cerebro adulto procese experiencias pasadas y dolor para obtener mejores resultados.

El proceso de introspección como adulto hace posible una organización y cohesión adecuadas en tu narrativa de la vida. Con las capacidades alcanzadas por tu mente adulta, el cerebro puede replantear sus experiencias de la infancia al darte cuenta de que tus torturadores también podrían haber sido víctimas de abuso. El cambio de perspectiva va un largo camino para ayudar a que vuelvas a conectar tu cuerpo, mente y alma. Las sensaciones y sentimientos que han sido reprimidos durante años a menudo crean una brecha de experiencias emocionales. Como adulto, esta brecha puede causar una crisis de identidad que se manifiesta en varias conductas y tendencias desadaptativas. El proceso de reconexión se utiliza para integrar la nueva historia procesada en tu mente subconsciente.

El proceso de reconexión es la culminación de tu viaje de curación, ya que permite que tus células, conciencia y alma encarnen una narración nueva y coherente que se ha formado a partir del proceso lógico, la compasión y el perdón. Este proceso debe ser afianzado a través del proceso de consolación. El proceso de consolación implica el compromiso de mantener la relación restablecida. A medida que comienzas a tomar conciencia del entorno externo, tu imaginación debe centrarse en recordarle al niño interno la relación continua que se derivará del proceso de reconciliación. Esto significa que el cuidado y la atención necesarios para nutrir al niño interno continuarán en el futuro.

El niño interior en la edad adulta

Es importante que estés despertando al hecho de que la existencia del niño interior es una parte inherente de tu vida. El hecho de que alguna vez fuiste niño significa que aún encarnas los recuerdos y las experiencias de este período de tu vida, aunque inconscientemente. El hecho poco apreciado de la vida es que muchos de los llamados adultos tienen su edad como factor central de su edad adulta, pero psicológicamente, permanecen inseguros y ajenos a quienes realmente son. La verdadera madurez se define por tu capacidad de asumir la responsabilidad de cuidar a tu niño interior con el cuidado y la atención que caracteriza a cualquier proceso de crianza eficaz. En ausencia de un cuidado y atención adecuados, como es el caso de la negligencia y la supresión que caracteriza la mayoría de las reacciones de los adultos al niño interior, surgen síntomas sutiles.

Tu niño interior encapsula la inocencia, el asombro, la alegría y la sensibilidad que define las experiencias de la infancia. Además, el niño interno también está formado por los miedos y los traumas que podrían haber definido tu crianza. Al rechazar o negar a tu niño interior, no solo eliminas las cualidades positivas y el potencial que representan los niños internos, sino que también asumes erróneamente que has superado tus experiencias negativas de la infancia. Como resultado, si bien puedes considerarte maduro, en el centro de tu ser todavía albergas tu pequeño ser, aunque inconscientemente. En esencia, la mayoría de tus decisiones emanan de un niño temeroso y altamente traumatizado a pesar de la llamada edad adulta que has adquirido con el paso del tiempo.

El desafío para muchos adultos, como se ha señalado una y otra vez, es la falta de conciencia del niño interior. Esta inconsciencia facilita la intrusión sutil del niño interior desencantado en las decisiones y comportamientos del día a día. Para los adultos, por lo tanto, el primer paso para coexistir pacíficamente con tu niño interior implica tomar conciencia de que tu yo más joven sigue siendo una parte muy importante de ti, al igual que tu alma y tu mente. Con este reconocimiento, un adulto psicológico debe tomarse el tiempo para apreciar el mensaje y la importancia de su niño interior. En otras palabras, si bien puedes estar de acuerdo con este concepto, intelectualmente, su impacto en tu vida solo se manifestará una vez que comiences a tomar en serio a tu niño interior.

Guiado por las necesidades primarias que definen la infancia, como el amor, la protección y la comprensión, debes comenzar a comunicarte y relacionarte con tu niño interior. La marca de la edad adulta está, por lo tanto, de acuerdo con la voluntad de tomar conciencia de las insuficiencias de la infancia, así como con el tiempo y el esfuerzo necesarios para transmutar estas deficiencias. La esencia de la edad adulta es que viene con experiencia y capacidad de pensamiento lógico. Como resultado, esto significa que tu personalidad adulta puede aprender y adoptar nuevas habilidades fácilmente. En este sentido, tienes la libertad de establecer una nueva relación con tu niño interior basada en la compasión y la comprensión. Como sucede con la crianza de un niño de carne y hueso, debes asumir una postura similar al acercarte a tu niño interior. Esto significa desarrollar límites, estructuras organizadas, así como la disciplina necesaria para guiar los patrones de comportamiento. Tal enfoque finalmente resulta en una relación cooperativa y mutuamente beneficiosa entre tu niño interior y tu yo adulto.

¿Cómo se ve una infancia estable?

No tiene sentido discutir el proceso de curación de tu niño interior sin mirar algunos de los factores definitorios que conforman una infancia estable. En otras palabras, sin entender lo que puedes haber perdido en tu crianza, puede ser imposible determinar las heridas exactas que pudiste haber acumulado durante tu infancia. El concepto general sobre una infancia estable implica la libertad de exploración, la seguridad y la protección de la tutela, así como la atención y el cuidado de tu alma y mente frágiles. En otras palabras, tu infancia debe incluir una comprensión de la familia, amigos y parientes que te apoyen, y lo más importante, una sociedad segura y ordenada. Estos tres principios sostienen la dinámica básica de una experiencia infantil estable.

A nivel familiar, aprendes sobre libertad, independencia, amor y atención. El entorno del hogar debe ser un espacio seguro en el que esté totalmente protegido, cuidado y apreciado. Con la imaginación y la creatividad burbujeando en tu mente cuando eras niño, también necesitas tiempo para jugar y explorar varios límites de tus habilidades. Esto resulta vital para ayudarte a identificar tus intereses y fortalezas, así como tus debilidades. Un niño también debe aprender la importancia del trabajo en equipo, el intercambio y el respeto. Estos valores se adoptan en gran medida durante el juego grupal con otros niños. La libertad de aventurarse más allá de las paredes de la casa es, por lo tanto, un principio vital de una educación estable. A medida que el niño se expone a perspectivas de que son diferentes de las suyas, no solo adquieren nuevas perspectivas, sino que comienzan a comprender quiénes son y lo que representan.

Las reglas, la estructura y la organización también son esenciales para tu infancia. Con capacidades cognitivas limitadas cuando eres niño, a menudo te falta la capacidad de analizar y apreciar la gravedad de varias experiencias y encuentros. Es por esta razón que el entorno social familiar debe ofrecer algún tipo de orden y estructura. La disciplina y las estructuras adoptadas dentro de la familia y el gran círculo social resultan vitales para ayudar a los niños a apreciar la importancia de defender algo que valga la pena. Además de disfrutar de mucha diversión, los niños también necesitan sentirse amados y cuidados. Los padres y tutores deben estar dispuestos a crear tiempo para sus hijos en el que el niño sea el foco principal de atención. Jugar con tu hijo les permite integrar el hecho de que son amados y que siempre pueden tener un lugar al que acudir en caso de problemas. Aunque aparentemente insignificante, estos principios definen quién eres como adulto, ya que están incrustados en lo profundo de tu mente subconsciente.

Cuidando a tu niño interior

El propósito de comprender a tu hijo interno en la edad adulta, así como la definición de una infancia estable, es ayudarte a aceptar el hecho de que podrías estar albergando a un niño interno herido mientras permaneces desprevenido. Una vez que hayas establecido esto como un hecho, el proceso de curación puede iniciarse, como se ha estipulado anteriormente. Tienes que entender que así como es difícil cuidar y criar a un niño, también lo hará el proceso de curación de tu niño interior. La paciencia, el compromiso y la determinación son tres ingredientes vitales que te ayudarán a salir del grupo de locos que has estado derribando en toda su vida. Es importante tener en cuenta que al curar el viejo lobo, debes asumir el deber y la responsabilidad de cuidar a tu niño interior. La negligencia y la negación no ofrecen soluciones significativas, y como tal, en ausencia de atención sostenida, puedes terminar abandonando a tu niño interior y continuar suprimiendo las emociones.

Identificando el dolor infantil

La identificación de la causa raíz de tu dolor es el comienzo de un viaje que transforma la vida. La disposición y el compromiso de transmutar tu dolor en energía significativa y progresiva deben comenzar en el punto de origen. Como se señaló anteriormente, la visualización es un principio vital en este esfuerzo particular, pero lo más importante, sin embargo, es la necesidad de la meditación. Al explorar conscientemente las profundidades de tu subconsciente mental con un enfoque en la experiencia de la infancia, te encuentras con algunas de las experiencias alegres y dolorosas de tu pasado. Es dentro de este contexto particular que te encontrarás cara a cara con el dolor y el sufrimiento que definieron tu crianza.

Vuelve a criar a tu hijo interno

Como es el caso con tu hijo, hermano o pariente, la orientación, el cuidado y la atención apuntalan el proceso de curación del niño interior. En otras palabras, debes estar listo para emprender el proceso lento y gradual de permitirte aceptar tu pasado. Esto te permitirá restablecer lazos seguros y saludables con tu niño interior. Como adulto, debes emprender este proceso, dándote cuenta de que tu salud mental, física y psicológica depende del éxito de este esfuerzo en particular. Si bien a menudo se recomienda la ayuda profesional cuando se trata de establecer nuevos lazos con tu niño interior, el proceso se puede lograr por sí solo adoptando enfoques que definan la crianza de un niño real.

El proceso de re-crianza está, por lo tanto, salpicado de afirmaciones que te recuerdan tus verdaderos valores e ideales, así como también conversaciones internas que sirven para abordar diversos problemas y desafíos que surgen en las experiencias cotidianas. Como es el caso con el cuidado de un niño, también debes ofrecerte recompensas por los logros y las mejoras derivadas del compromiso de relaciones más nuevas y más fuertes. Finalmente, una sensación de atención plena sustenta el proceso de re-crianza. Mantenerte al tanto de las experiencias y encuentros del presente es vital para conciliar tu pasado y presente. Esto elimina la disonancia psicológica que puede surgir inconscientemente y, por lo tanto, influir en tus decisiones y comportamiento.

Involucrando a tu niño interior

Escuchar y hablar con tu niño interior son algunas de las formas efectivas de relacionarse con quién eras cuando eras niño y cómo puedes relacionarte como un mejor ser humano. Los esfuerzos de participación abarcan actividades como escuchar y hablar con su niño interior o métodos más detallados, como escribirse a sí mismo. Hablar y escucharte a ti mismo te ayuda a aceptar las necesidades de tu niño interior. Con esta información podrás iniciar cambios significativos en tu comportamiento para que el niño interior pueda prosperar. El compromiso con su niño interior debe centrarse en los miedos y problemas originales que podrían haber estado presentes en tu infancia. Sin embargo, lo más importante es guiar al niño interior al presente. En otras palabras, la charla debe centrarse en ayudar al niño interior a apreciar las transformaciones que han surgido desde entonces y cómo el pasado ha moldeado quién eres como persona en el presente.

Capítulo 5: Creando tus pensamientos

Pensar en la disponibilidad es muy vital cuando se trata de desarrollar tu realidad. Cualquier cosa que pienses en el mundo físico tendrá algunas pistas del mundo interior de tu pensamiento y percepciones. Puedes ser el jefe de tu intención cuando controlas los pensamientos que tienes y los dominas. Cuando haces eso, entonces experimentarás al conocer la verdad detrás de tu pensamiento y cómo se llegas a la verdad. Muchas personas siempre creen que no pueden tener control sobre lo que están pensando. Puedes encontrarte con pensamientos fluidos en tu mente provocados por la fuerza invisible. Se te aconseja no tener piedad con tus pensamientos internos, ya que frenarán tu ego y provocarán problemas insignificantes. Cuando llegues a saber cómo controlar sus sueños, esto traerá consigo la representación de lo que deseas y sientes que es lo mejor.

Conciencia

Lo primero que debes hacer para tener control sobre tus puntos de vista es identificar patrones indeseables. A menos que estés seguro de determinar los impactos negativos en tus pensamientos, entonces no podrás llegar a los efectos positivos. Puedes admirarlo como si estuvieras evaluando algunas actividades. Vuelve a lo más profundo de tu mente y escucha tu burla interior e intenta determinar si es un obstáculo para tu capacidad de divertirte en la vida cuando escuchas tus pensamientos puede ser la primera práctica porque conoces bien tu voz interior que aparece con tu personaje debido a las distracciones de fondo.

Ocasionalmente, podrás identificar algunos pensamientos detallados más aún cuando mantengas tus actividades durante un período y hagas una pausa. Sin embargo, la mayor parte del tiempo de tu vida la pasas en acción y no en ser un piloto automático y absorto en involucrarte con plena conciencia. Al ser un piloto automático, aún puedes influir en tus sentimientos a través de tus opiniones a pesar de no estar atento a su presencia. Con esto, tu voz interior te notificará insistentemente que la vida es negativa; así, tendrás negatividad en tu punto de vista. Tu conocimiento sacará a relucir las incertidumbres que expresan los intelectuales cínicos.

Audiencia de la voz interior

Se te aconseja aprender a escuchar tu voz interior cuando estás solo y tratar de saber qué está pasando por tu cerebro. Lo sabrás mientras concibes tus pensamientos, y esto a menudo puede ocurrir cuando tu voz interior se queda en silencio. Con esto, entonces habrá algún descubrimiento en los espacios en medio de sus pensamientos de donde puede venir la paz y la curación. Cuando aparezcan ideas, se te aconseja no emitir ningún juicio sobre ellas, así que ofréceles algunos momentos para desarrollarlas y luego presta atención. Intenta averiguar si tu voz interior es crítica o expresa angustia. Todavía puedes llegar a saber si tus pensamientos son positivos y si son bien recibidos o no.

Pensamiento negativo y positivo.

Cuando pienses en amar, podrás recuperar la felicidad y brindar una mayor alegría a tu vida. Cuando se forman en tu cerebro, entonces tienes que amplificarlos y llevarlos a tu corazón, donde tendrán una punta afilada. Cuando tienes pensamientos negativos, entonces probablemente se te aconseje que calmes tu ser interior por compasión. No te enojes cada vez que sientas que tu parte interna no es como quieres que sea. Tal vez se supone que debes enviar un sentimiento de amor desde tu corazón y hacer que la negatividad dentro de ti se escape mientras te enfocas en temas positivos.

5 pasos para recuperar el control de tus pensamientos

Los pensamientos son considerados nuestros mejores amigos o peores enemigos, y esto es según un monje budista Matthieu Ricard. Al menos, cada individuo ha tenido un momento en que sus mentes tienen sus propias mentes, pero aún controlan sus pensamientos, lo que mejora la felicidad, reduce el estrés y está bien equipado para resolver problemas y lograr objetivos. Muchas personas no siempre están informadas de lo que están pensando.

Del mismo modo, serás tu observador y controlador de los impactos que tus pensamientos tendrán sobre ti mismo. Puedes encontrarte deprimido, enojado, frustrado, triste, entre otros. Algunos pasos simples te ayudan a controlar tus pensamientos y detener los pensamientos negativos.

1. Estudia cómo prevenir tus pensamientos

Tienes que aprender a pausar cuando estás en medio de tus sueños. Puede ser una idea aburrida, dañina o útil. La mayoría de las veces durante el día, te harás pensar. Cuando te sientas frustrado, enojado o cansado por ciertas cosas, tendrás la tendencia de seguir presionando en cualquier sentimiento que tengas; Por lo tanto, este no es un enfoque aconsejable. Te podrás irracional cuando tengas tendencia a estar más enojado y más emocional. Puedes notarlo rápidamente en otros y no en ti mismo. En los casos en que tengas hijos, trata de pensar en cómo tus hijos se ponen malcriados cuando se enojan o se irritan. Cuando no tienes hijos, puedes usar el ejemplo de un amigo. También puedes tener otra opción de pensar en esa mujer u hombre a cercano a ti que sea temperamental. Piensa profundamente en tus pensamientos antes de continuar durante cinco minutos.

2. Reconoce los sentimientos negativos dentro de ti

Cuando puedas detener tus pensamientos, esto te ayudará con los tiempos por venir. Puedes evaluar rápidamente cómo te sientes y luego retroceder. Cada sentimiento que tienes es directamente el resultado de algo que estabas pensando. Por ejemplo, puedes preguntarte por qué estás ansioso retrocediendo algunos pasos cuando tienes la sensación de estar ansioso. Puede que tengas un proyecto o vayas a despedir a alguien; por lo tanto, debes saber qué te está poniendo ansioso. Piensa en lo que te preocupa si tuviste una mala experiencia, entre muchas otras preguntas. Solo trata de resolver el problema principal de tu ansiedad. En cualquier caso, sabe que lo que sea que te ponga ansioso será la razón que tu cerebro está utilizando para crear un estado de ánimo emocional. Aunque a veces, no es la causa principal de tu estado emocional.

3. Anota tu película mental

Con el paso anterior correctamente hecho, entonces eres capaz de reconocer la película que tienes en mente. Esta puede ser una reunión en la que tu jefe te fastidió. También puede ser el momento en que fracasaste durante una presentación. También puedes ser molestado por la voz de tu padre, que te dice lo inútil que eres. Mucha gente tiene películas mentales negativas que provocan negatividad cancelando películas positivas. Hay un momento en que las situaciones actuales te harán reproducir el estado anterior de esa película. Puedes tener cinco sucesos exitosos, y una decepción y tu mente preferirá recurrir a la frustración por la necesidad de evitar el dolor que recordar el placer. Todo lo que debes hacer es identificar el contenido de la película y luego anotarlo. Esto te ayudará a sacarlo de tu mente.

Escribirlo lo sacará de tu cerebro y te habrás distanciado de los sentimientos que genera. Esto puede denominarse disociación y cuando anota tus películas mentales es parte de ella. Lo encontrarás muy simple porque solo necesitas un bolígrafo y un papel. Cuando te disocias de algo, es como si te hubieras excluido del lugar del cerebro en primera persona. Si se te pregunta sobre una experiencia dolorosa en el pasado para pensar como si estuviera sucediendo, entonces podrás regresar a esa situación. Esto puede alegrar los sentimientos, lo que te hace enojar, poner triste, entre muchas otras emociones. Esto se puede conocer como asociados. Te estás situando en un evento. En la mayoría de las ocasiones predeterminadas, las películas mentales juegan así y nos llevan de vuelta a la situación de dolor. Cuando anotas tus películas mentales eso te sacará del punto de asociarte con la ansiedad, te dará un paso para salir de la situación. Este paso será un paso positivo para ayudarte a calmarte. Cuando quitas las películas de tu mente, también eliminará su poder.

4. Consigue la mentira

En cada película mental, hay una mentira sobre ti sobre lo que eliges creer, ya sea de manera deliberada o inconsciente. Deberías poder encontrar cuál es la mentira, y este es un paso significativo. La mentira puede ser que no eres nadie, o un fracaso en la vida, entre muchas otras cosas. Puedes experimentar algo como alguien te dijo que ninguna mujer/hombre te amaría. Tienes que inscribirlo en tu película mental rápidamente.

5. Encuentra la verdad

Querrás combatir la mentira; por lo tanto, la única solución es descubrir la verdad sobre ti. Puedes orar, leer tu Biblia y tratar de preguntarle a Dios qué es lo que Él te destinó a ser. Hay diferentes procesos que puede usar. Puede decidir hablar con amigos al respecto o buscar el consejo de tu terapeuta. No importa la forma que tomes siempre que llegues a la verdad. Cuando encuentras la verdad, puedes escribirla junto a la mentira. Pónlo en primera persona y hazlo positivamente. En lugar de anotarlo como "no eres un fracaso", puedes expresarlo como "eres un mejor individuo lleno de cualidades positivas". Incluso la Biblia habla en Filipenses 4: 8.

Deshazte del pobre auto concepto de tus pensamientos

Verte indigno, incompetente, el fracaso no puede ser conocido por tener baja autoestima. Tales opiniones provocarán la creación de pensamientos negativos que pueden afectar fácilmente las decisiones de su vida, disminuyendo así tu estima. Puedes decidir usar algunas herramientas de atención plena mientras estudias otras situaciones sin tener una influencia negativa en tu pasado.

Vivir en el momento

Con un buen enfoque en el tiempo, es probable que tengas que seleccionar sus movimientos con prudencia y precisión. Esto se hará sin tener ningún efecto de su pasado, sin tener en cuenta ninguna preocupación, sino tener esperanzas positivas sobre el futuro.

Crear conciencia

Cuando estés consciente, reconocerás rápidamente cómo estás reaccionando y abordando tus incertidumbres, haciendo un momento en medio de tus sentimientos y actividades. Entonces se espera que respondas de una manera más saludable.

Escribe un diario

Muchos de tus puntos de vista y sentimientos se han encerrado en tu mente oculta, y la escritura puede ayudarte a llevarlos a tu estado alerta. Cuando escribes lo que sientes y piensas puede ayudarte a separar los conceptos negativos sobre ti de la verdad de quién eres en realidad.

No juzgues

Analizar tu vida sin juzgar te hará aceptarte a ti mismo, tus implicaciones, decepciones y logros, y lo que la gente dice sobre ti sin preocuparte si es bueno o malo o si tiene importancia en sì mismo o no.

Conéctate a ti mismo

Cuando estás en conciencia plena, puede ayudarte a mejorar la sensación de adaptarte a ti mismo y a reducir el número de personas que quieres complacer al poner en espera el pensamiento del piloto automático y los personajes que te harán querer satisfacer a las personas y olvidarte de tus deseos. .

Mejora la meditación consciente

Cuando estás meditando, simplemente significa que estás dejando de lado los pensamientos competitivos que están en tu concentración y tolerando que esos sentimientos y creencias sean temporales en lugar de partes de ti mismo. Se supone que debes preservar algunos momentos diariamente para estar quieto y concentrarte en la conciencia y observar cómo tus preocupaciones se van volando como nubes.

Participa en tu vida personal

La atención plena nos inspira a ser animados y seguros para mejorar tus propias experiencias. Cuando seas consciente de tus pensamientos y selecciones de tus respuestas, te permitirá actuar y participar en tu vida personal.

Mente de principiante avanzada

Con una mente de principiante, mirarás cosas como si las estuvieras viendo por primera vez con mucha sinceridad, entusiasmo y libertad de anticipación. Verás las cosas con una nueva luz en lugar de replicar robóticamente con los viejos patrones de carácter.

Dejar ir

El objetivo de ser consciente es no apegarse ni soltarse. Libérate de lo que estás pensando o lo que debes hacer, puedes confiar en ti mismo y decidir qué sientes que es adecuado para ti.

Ten compasión de ti mismo

Se supone que debes tener amor hacia ti mismo tanto como cualquier otra persona. Cuando tengas autocompasión, podrás darte el amor, la protección y la aceptación que deseas.

Reenfoca tu mente

Tener un cerebro errante será beneficioso y se puede lograr. Cuando estás mejorando tu enfoque mental, que es alcanzable, eso no significa que será rápido y directo. Si hubiera sido fácil, todos nosotros requeriríamos una atención muy aguda. Algunas ideas pueden ayudarte a mejorar tu enfoque mental y atención.

Comienza evaluando tu enfoque mental

Debes conocer la fuerza de tu enfoque mental antes de comenzar a trabajar para mejorar tu enfoque mental. Tu enfoque será excelente si te resulta sencillo estar alerta, establecer objetivos e intentar dividir tus tareas en partes más pequeñas, y tomar descansos cortos y volver al trabajo. Deberías trabajar en tu enfoque si sueñas despierto regularmente, no puedes señalar obstáculos y perder rápidamente tu nivel de progreso. Con más aprendizaje, entonces probablemente tengas una excelente capacidad de atención si tus afirmaciones son consistentes con tu desempeño. Si debes trabajar en tu enfoque, entonces deberás ser muy estricto en la mejora del enfoque mental. Esto puede llevar mucho tiempo, pero si aprendes buenos hábitos y te mantiene estable en tu mente, puedes recibir asistencia.

Erradicar interferencias

Tienes que aceptar que viste venir esta frase. Puedes ser saludable, pero muchas personas han subestimado cómo tantas interferencias les han impedido estar atentos a las tareas que tienen entre manos. Tales distracciones pueden provenir de música de fondo a todo volumen. Controlar tales perturbaciones puede ser más relajado, pero aun así, se supone que hay algunos desafíos que debes manejar. Una manera simple de lidiar con esto es excusándose y solicitar que te dejen solo por un rato y tener un tiempo específico solo para ti. También puedes ir a un lugar donde no tendrás distracciones y trabajar pacíficamente. Lugares como bibliotecas, tu casa o una cafetería silenciosa pueden ser buenos lugares para probar. Puede intentar descansar antes de manejar cualquier tarea para ayudarte a combatir la ansiedad y la preocupación; por lo tanto, necesitarás el uso de pensamientos positivos. En situaciones en las que su mente se ha centrado en distraer las cosas, debes volver al trabajo que estás realizando.

Pon tu atención en una cosa a la vez

Cuando tengas varias tareas a mano, tenderás a hacer ejercicio rápidamente para terminar; por lo tanto, esto puede llevar a que las funciones estén mal realizadas. Hacer tantos trabajos a la vez disminuirá tu productividad, lo que hará que omitas algunas ideas esenciales. Enfócate como un reflector que apuntas en un área en particular, te da una visión clara, a diferencia de cuando lo apuntas atravesando una habitación oscura y no te dará una visión clara. Para mejorar tu enfoque, todo lo que puedes hacer es mejorar los recursos que tienes. Simplemente deja de hacer tantas cosas a la vez y concéntrate en una tarea a la vez.

Estar en el momento

Puede resultarte agotador concentrarte mentalmente cuando todavía estás pensando en el pasado debido a otras razones. En algún momento, has podido encontrar personas que hablan sobre estar presente. Esto cuando se supone que debes guardar todas las distracciones y concentrarte mentalmente por completo en el momento actual. La noción de permanecer presente es vital para recordar su enfoque mental. Cuando estés completamente comprometido, estarás atento y obtendrás los puntos esenciales en ese momento en particular. Puedes tomar un tiempo para estudiar cómo estar en este momento. No puedes cambiar lo que ocurrió en el pasado, y el futuro aún no ha sucedido; por lo tanto, lo que hagas actualmente te ayudará a evitar tus errores pasados y a dar paso a un gran futuro.

Ejerce la atención plena

Este es un tema importante para hablar y por buenas razones. Mucha gente estudió cómo ser consciente durante muchos años y sus beneficios para la salud, pero recientemente se ha comenzado a entender. Hay un estudio en el que profesionales contrataron personas para ayudarlos a realizar tareas complejas en un día. Los trabajos tuvieron que hacerse en 20 minutos, lo que incluye atender llamadas, planificar reuniones, entre muchas otras tareas. Cuando estás entrenando sobre la atención plena, entonces te involucrarás en cómo deliberar. Puedes considerar que el trabajo es simple, pero es más complicado de lo que parece. Con el tiempo, sabrás que es más fácil concentrarte en donde se supone que debes estar.

Tómate un pequeño descanso

Probablemente has estado en una situación en la que estás haciendo una tarea durante mucho tiempo, y luego su concentración se pierde con el tiempo; por lo tanto, estarás en una condición problemática tratando de recuperarla concentración para la tarea en cuestión. Esto también afectará significativamente tu rendimiento. Es recomendable que cada vez que tengas una responsabilidad alargada, trates de darte un breve descanso. Intenta cambiar tu atención a algo diferente solo por un tiempo. Los descansos te proporcionarán un enfoque mental agudo y tendrás un impacto de alto rendimiento en tu tarea.

Practica más para fortalecer tu concentración

Desarrollar tu concentración es algo que no tomará poco tiempo, pero tiene muchos pasos por recorrer. Los profesionales del deporte también necesitan tiempo para practicar y ayudar a reafirmar sus habilidades. Notarás su impacto cuando trates de reconocer que la distracción afectará tu vida. Cuando te encuentres siendo distraído por otros asuntos sin importancia, debes concentrarte más en darte tiempo. Cuando mejores tu concentración, podrás lograr tantas cosas en la vida como el éxito, la felicidad y la satisfacción.

Consejos para mejorar la atención plena

Algunas técnicas pueden ayudar a mejorar la conciencia del momento actual, como:

1. Solo respira

Cuando estés sentado, trata de ser consciente de tu respiración. Intenta concentrarte en cómo se está levantando tu estómago, por lo que te concentrarás y estarás atento. Intenta concentrarte en tu respiración cuando estés esperando un autobús, cuando estés en un atasco de tráfico mientras esperas para comer, entre otros. Cuando tienes una sola respiración a propósito, esta puede ser una excelente manera de mejorar la atención plena.

2. Dar un paseo

Tienes que levantarte y caminar con una dirección y conciencia. Llega a un lugar atractivo donde puedas ir a caminar y pasar cualquier minuto de reflexión. Intenta mirar los músculos de las piernas y los dedos de los pies a medida que se mueven y transportan tu cuerpo. Puedes intentar hacer de la meditación caminando tu rutina diaria.

3. Disfruta estar en silencio

La mejor condición para lograr la atención plena es la tranquilidad. Enséñate a asumirlo y explorarlo. Tu vida siempre es tranquila, pero aún obtienes algunas distracciones que llenan ese vacío como la música, el timbre de un teléfono, los sonidos del tráfico y los aviones volando cerca. Tienes que guardar silencio e intentar respirar durante ese tiempo. Intenta comprender los sentimientos de ansiedad que a menudo surgen y hacen que renuncies a tus distracciones.

Cómo a afirmarte

1. Elimina a los individuos egoístas y cínicos de tu vida

El primero es permanecer alejado de las personas con negatividad y de aquellos que traerán estrés y tristeza a tu vida. Se te aconseja no separarlos de tu vida por completo. Esto es comprensible porque puede ser imposible. Debes evitar que sean tus prioridades y llegar a ellas cuando sea correcto. Te resultará muy difícil confiar en las personas que te trataron mal y que nunca te apreciaron. Cuando elijas a tus amigos, actualiza tus estándares.

2. Tener objetivos y alcanzarlos

Debes lograr algunos avances antes de llegar a puntos específicos para mejorar la calidad de tu vida. Tus objetivos no importan si son grandes o pequeños siempre que los logres. Hay un nivel en el que te darás cuenta de que tus esfuerzos están dando resultado y te acercan a tus deseos. Siempre trata de mejorar las diferentes categorías en tu vida, trayendo así más mejoras.

3. Expándete

Uno de los obstáculos más importantes que uno enfrenta para tener confianza es estar desempleado. Cuando estás desempleado, tendrás problemas financieros y muchos problemas que manejar. En lugar de sentir lástima por ti mismo por el hecho de estar desempleado, trata de tomarte tu tiempo para mejorarte y obtener información y ayudas. Simplemente evalúate a ti mismo e intenta obtener lo que te interesa y pasar un buen rato con las personas que amas. Asegúrate de poder crear relaciones que puedan ser realmente buenas para darte oportunidades.

4. Ten tiempo para ayudar a otros

Cuando haces cosas positivas a los demás, te traerá consecuencias positivas. Tendrás que darte cuenta de que hacer feliz a alguien ayudará a mejorar la vida de alguien e inspirar a otros. Cuando te afirmas, no se trata solo de ti, sino de tratar de ser amable y servicial con los demás. Estas ideas serán útiles para mejorar tú mismo.

Capítulo 6: Modo de supervivencia

Entonces, te has encontrado víctima de un narcisista severo; ya sea doméstica, parental o laboral, alejarte es una opción viable. Es posible que otras personas no entiendan por qué lo hiciste, pero sin la profunda comprensión de tu compañero, ¿cómo podrían hacerlo?

Puede ser problemático tratar de entender por qué su pareja hizo las cosas que hizo y cómo las hizo. ¿No les importa la relación? ¿No se preocupan por ti? Estos son pensamientos comunes que pueden cruzarse por tu mente como un disco rayado. Cuando descubras que estás consumido por estos pensamientos negativos y tristes, recuérdate a ti mismo que es posible olvidar y seguir viviendo, más fuerte e inteligente.

¿Es TEPT?

Las víctimas de abuso narcisista exhiben síntomas psicológicos del trastorno de estrés postraumático (TEPT). A diferencia del TEPT que puede ser causado por un solo evento traumático, el trauma narcisista está bajo un término clínico separado para TEPT complejo por trauma severo, repetitivo o prolongado, o TEPT-C. Los sobrevivientes parecen estar desconectados y desconocen su angustia emocional y sus pensamientos agobiados por el dolor. Cuando la víctima de abuso puede recibir la validación de la realidad de su experiencia, la disonancia cognitiva disminuye y se disuelve.

El trastorno de estrés postraumático complejo generalmente implica tortura emocional o física; por ejemplo, trauma infantil, violencia doméstica o incluso abuso sexual. Debido a que el abusador forma un vínculo bioquímico con su víctima, se vuelve extremadamente difícil separarse de ellos. Sin embargo, eso no significa que el sufrimiento no sea real o grave. Desafortunadamente, ha habido casos en los que una víctima de abuso emocional encubierto es conducida a suicidarse. La sociedad no está segura de cómo tratar con las parejas narcisistas y los sobrevivientes.

El abusador lucha por demostrar lo absurdo de los reclamos de la víctima. Este tipo de guerra psicológica adquiere un efecto duradero en el cerebro del sobreviviente debido a un trauma psicológico crónico. A menudo hay muchas rupturas y reconciliaciones en el curso de la relación porque el narcisista no busca ayuda, y tampoco el sobreviviente. El sobreviviente puede no informar el abuso por temor a lo desconocido. Se arriesgan a ser creídos y entendidos por la sociedad. Además, los sobrevivientes luchan para proteger su autoestima y proteger a sus abusadores.

¿Cómo puedes saber si tienes TEPT-C?

A menudo, las víctimas de abuso narcisista experimentan inutilidad y buscan corregir sus defectos característicos señalados por el abusador. Las personas que sufren este tipo de abuso a menudo están obsesionadas con sus defectos y fallas en la relación; no como lo han experimentado sino como el abusador los ha proyectado. Sus pensamientos los golpean regularmente y se condenan a sí mismos. Pueden decir: "Es realmente mi culpa", "No puedo culparlo por gritarme", "Yo soy la razón por la que está teniendo una aventura". Es común que se castiguen por las acciones de sus abusadores.

Los sobrevivientes de abuso narcisista sufren síntomas que incluyen:

Pensamientos deprimentes invasivos

Los pensamientos invasivos pueden manifestarse en términos de recuerdos de eventos traumáticos, pesadillas y sueños perturbadores que contienen aspectos de los episodios traumáticos. Otras veces pueden ocurrir como retrocesos que pueden conducir a la pérdida de conciencia y a un aumento de los efectos fisiológicos, como la frecuencia cardíaca rápida después de la exposición a los desencadenantes.

Estrés

La exposición al trauma puede llevar a la víctima a causar lesiones graves a sí mismas u otras personas, suicidarse o proyectar violencia sexual a otras personas. Otros testigos directos de estas circunstancias también pueden sucumbir a factores de estrés.

Evasión

Las personas que han pasado por series problemáticas de eventos son propensas a evitar recordatorios del trauma. Tienden a mantenerse alejados de recordatorios externos como personas, lugares, actividades e incluso conversaciones. También bloquean los pensamientos que pueden recordarles el trauma que sufrieron.

Exclusión

Los sobrevivientes tienden a separarse y aislarse de amigos cercanos y familiares y actividades sociales. Se espera la disociación de una víctima de trauma ya que es la forma en que la mente se recupera.

Cambios en la excitación y la reactividad

Los desencadenantes del trauma pueden empeorar después de que la víctima se haya separado del abusador y de las situaciones abusivas. Por ejemplo, el sobreviviente puede volverse más irritable o agresivo, fácil de alarmar e hiperactivo. También pueden exhibir problemas para concentrarse y dormir, así como mostrar un comportamiento autodestructivo.

Dificultad para controlar las emociones

Puede experimentar dificultades para controlar sus pensamientos y sentimientos negativos, como depresión, enojo e irritabilidad.

Percepción alterada de uno mismo y del mundo

Toda la existencia de la víctima está conformada por el abusador. Reescriben sus creencias anteriores sobre sí mismos y el mundo a las opiniones de su abusador. Su autoestima se perfora en ellos, por lo que su autoimagen se distorsiona. Experimentan sentimientos de impotencia, culpa y vergüenza. Ven el mundo y a ellos mismos negativamente.

Obsesión con el abusador

Los sobrevivientes pueden desarrollar una obsesión poco saludable con sus abusadores. Se vuelven codependientes, como la droga del otro. Dejas de lado tu salud emocional, psicológica y física para apaciguar a tu abusador. La obsesión puede llegar hasta la víctima tramando venganza contra el abusador. Se consumen con su abusador y dejan que los sentimientos que provocan se fomenten.

Dificultad con las relaciones personales

Puedes experimentar problemas para forjar amistades o relaciones fuera del abusador. Por ejemplo, tus relaciones actuales pueden desintegrarse debido a tu exclusión, y puede resultarte difícil interactuar con otras personas debido a tu nueva percepción de ti mismo y del mundo que te rodea.

Los estudios han demostrado que los sobrevivientes de este tipo de trauma sufren lo que se llama muerte mental porque han sido víctimas tanto tiempo que pierden su identidad previa al trauma.

Cualquiera puede desarrollar un trastorno de estrés postraumático a cualquier edad. Los factores de riesgo que aumentan el riesgo de TEPT incluyen:
- Días de fiesta y aniversarios.
- Hacerte daño o ver a otra persona lastimada
- Sentir impotencia u horror.
- Estrés
- Poco o ningún apoyo social
- Trauma infantil, y
- Historial de enfermedad mental o abuso de sustancias.

Además de estos síntomas, puede ser común sentir que no estás listo para perdonar. No te apresures a la recuperación. Deberás volver a aprender la mayoría de las emociones y las señales emocionales, como:
- Esperanza
- Confianza
- Límites
- Recuperar tu vida
- Gratitud y felicidad
- Reconstruir amistades y
- Amor propio

Obteniendo ayuda

Si tienes TEPT debido a una relación complicada, es necesario buscar la validación de tus experiencias para sanar. Llevar un diario es una excelente manera de realizar un seguimiento de tus emociones, así como de cualquier otro cambio físico y psicológico en tu cuerpo.

El deterioro de los síntomas del TEPT-C puede conducir a una disminución en tu calidad de vida. Si experimentas estos síntomas durante más de cuatro semanas, debes buscar ayuda profesional. Si no te tratas, los pacientes encuentran hábitos de enfrentamiento destructivos y poco saludables como el abuso de sustancias. No es necesariamente cierto que el tiempo cura todas las heridas. Buscar ayuda profesional asegura que te realices una evaluación física y psicológica adecuada para eliminar cualquier síntoma causado por afecciones preexistentes. Una evaluación adecuada también tiene como objetivo definir tus síntomas para un diagnóstico correcto.

La recuperación del abuso necesita la integración de las partes cognitivas, psicológicas y emocionales del cerebro. Tres condiciones necesarias son; mantener un espacio seguro que implique una zona libre de traumas, el recuerdo de las circunstancias y el duelo por el pasado y, por último, la reconexión con tu nueva vida.

Algunos factores de resiliencia que pueden minimizar el riesgo de sufrir TEPT incluyen:

Encontrar un grupo de apoyo

Encontrar apoyo funciona como un plan de seguridad para ayudarte a lidiar con situaciones estresantes. Es una excelente estrategia planificar con anticipación en caso de que te enfrentes a una circunstancia psicológicamente agotadora. Haz una lista de contactos de emergencia a quienes puede marcar si sientes la necesidad.

Identificar disparadores de advertencia temprana

Las señales de advertencia a menudo preceden a los síntomas. Anticiparse a los signos de advertencia y los desencadenantes, como los pensamientos negativos, el cambio de humor y de comportamiento, puede ayudarte a aprender cómo manejarlos mejor para evitar una recaída del TEPT mientras te recuperas. Por ejemplo, puedes desencadenarte al escuchar a alguien frustrado gritarle a una persona, a una mascota o incluso a una máquina. Otros factores desencadenantes externos, como escuchar una canción que marca una etapa traumática en su vida. La preparación mental para lidiar con desencadenantes imprevistos elimina el pánico y te ayuda a sobrellevarlo más fácilmente.

Identificar métodos de afrontamiento

Una vez que hayas identificado las señales de advertencia internas y externas, es hora de crear tu método de afrontamiento preferido para ese desencadenante en particular. Por ejemplo, puedes escribir varias tarjetas de afrontamiento paso a paso que puedes llevar contigo en caso de cualquier cosa. Digamos que escuchas esa canción que te recuerda los tiempos oscuros, recupera con calma tus cartas y ve qué estrategia de afrontamiento funciona mejor para relajarte. También hay una variedad de aplicaciones de software que pueden ayudar a atender el manejo del estrés y la ansiedad.

La recuperación se realiza mejor con la combinación correcta de apoyo clínico, familiar y de amigos. Ayudar a un sobreviviente de TEPT va más allá del tratamiento del TEPT para ayudarlo a recuperar el poder, el autocontrol y la identidad propia. El TEPT-C aún no es bien reconocido por los médicos, ya que necesita ser diagnosticado y tratado de manera diferente a otros trastornos mentales y TEPT. Su tratamiento se centra principalmente en la terapia; terapias conductuales estándar y terapias de exposición. La medicación también se prescribe para casos extremos.

Psicoterapia

En los confines de un espacio seguro, un siquiatra o terapeuta te alentará a hablar sobre el trauma que experimentaste. Esta forma de terapia se realiza individualmente o como tratamiento grupal. Para lograr un tratamiento completo, el terapeuta puede combinar diferentes tipos de enfoques según tus necesidades individuales, ya sea enfocándose en los síntomas o concentrándose en tu vida social; familia, trabajo y relaciones.

La psicoterapia toma alrededor de 7 a 14 semanas, donde el paciente gradualmente aprende a confiar en el terapeuta; y el terapeuta, a su vez, ayuda al paciente a identificar sus síntomas y desencadenantes, así como a desarrollar mecanismos de afrontamiento saludables. La psicoterapia ayuda al paciente a aprender

- Sobre el trauma y sus efectos
- Cómo relajarse en situaciones de alto estrés.
- Consejos y trucos para un estilo de vida saludable y patrones de sueño
- Cómo lidiar con las emociones de vergüenza, culpa e impotencia, entre otros.

Terapia de conducta cognitiva

Este es un ejemplo de tratamientos terapéuticos que ayudan a los pacientes a mantenerse conscientes de sus estados de ánimo y sensaciones corporales, y de cómo tratarlos a medida que surgen. Este tipo de terapia también educa a los miembros de la familia del paciente sobre cómo reconocer y tratar con un sobreviviente de TEPT-C.

La terapia de exposición es una forma de Terapia Cognitiva Conductual (TCC) que consiste en exponerle gradualmente a traumas ya experimentados, pero en un ambiente "controlado" seguro. El paciente puede volver a visitar estos traumas visualizando, escribiendo o visitando los lugares donde ocurrió el trauma. Esta estrategia ayuda a los sobrevivientes a enfrentar sus miedos y superarlos.

La terapia de reestructuración cognitiva combina bien con la terapia de exposición. A menudo, las víctimas de trauma vinculan personas, lugares, cosas y eventos con pensamientos negativos. La reestructuración cognitiva les ayuda a reescribir estos pensamientos de manera saludable al reemplazar los pensamientos negativos sobre estos lugares por uno más objetivo. Con la ayuda del terapeuta, los pacientes pueden echar un vistazo racional a las situaciones y liberarse de las emociones acumuladas al respecto.

La terapia de desensibilización y reprocesamiento del movimiento ocular (EMDR) involucra algunos factores de psicoterapia que se utilizan para aliviar los desencadenantes traumáticos en pequeñas dosis a medida que el terapeuta dirige el movimiento ocular con estimulación rítmica derecha-izquierda. Al desviar tu atención mientras recuerdas eventos traumáticos, es probable que tengas reacciones psicológicas reducidas a estos recuerdos. Con el tiempo, los recuerdos perturbadores tendrán poco o ningún impacto en ti. Múltiples estudios han demostrado que EMDR es útil en el tratamiento del TEPT y otras afecciones mentales como la depresión, el estrés, la ansiedad, los trastornos alimentarios y las adicciones.

Medicamentos

Aunque no hay medicamentos aprobados para el TEPT-C, algunos medicamentos se recetan junto con psicoterapia para aliviar los síntomas, pero no tratan el trastorno. Los antidepresivos son un tratamiento convencional para los síntomas de TEPT. Los pacientes deben ser honestos en el diagnóstico subjetivo para que el médico llegue a la mejor combinación de medicamentos para ellos. Una combinación de antipsicóticos, antidepresivos y medicamentos contra la ansiedad ayuda al paciente a controlar los síntomas del TEPT-C o los trastornos recurrentes que pueden surgir a causa de él o junto a él.

Junto con el tratamiento, también es beneficioso ayudarte a ti mismo. Es comprensiblemente difícil dar ese primer paso hacia la recuperación, pero es el paso más vital. Cuídate y espera que tus síntomas mejoren con el tiempo. La actividad física es una excelente manera de moverse. Los ejercicios liberan hormonas de la felicidad que te ayudan a relajarte. También podrías sumergirte en situaciones sociales reconfortantes, puedes sentirte incómodo al principio, pero gradualmente mejoran y se vuelven más cómodos. Trata de confiar en un familiar cercano o amigo.

Ejercicios de gratitud

"La gratitud impulsa la felicidad. La felicidad aumenta la productividad. La productividad revela la maestría. Y la maestría motiva al mundo". - Robin Sharma

El ejercicio de la gratitud es una poderosa emoción humana. La gratitud ocurre en muchas formas; podrías estar agradeciendo al Todopoderoso, a la Madre Naturaleza, a ti mismo, a quien sea. El agradecimiento es fácil para los sobrevivientes de un trauma, y ejercerlo incluso por un período corto puede causar una mejora notable en su salud y vida.

El trauma causa afecciones psicopatológicas y quita tu felicidad. La relación entre gratitud y alegría es multifacética. Si bien se encuentra que la felicidad es un factor genético, las personas tienden a retroceder a un nivel particular de felicidad, a través de ejercicios de gratitud, se puede mejorar. Por ejemplo, puedes enviar una nota de agradecimiento a tu amigo cercano o familiar por su constante apoyo. Encontrarás que este acto de amabilidad mejorará considerablemente tu estado de ánimo.

Los ejercicios de gratitud no solo aumentan tu nivel de felicidad sino que también mejoran la salud. Los estudios han demostrado una conexión notable entre la gratitud y la buena salud psicológica y física. Una investigación de "psicología positiva" muestra que cultivar pensamientos, hábitos y creencias positivos puede afectar igualmente los síntomas posteriores al trauma como el estrés.

Además de la felicidad, la gratitud restaura tu nivel anterior de funcionamiento. Por ejemplo, si tu trabajo ha estado sufriendo debido al TEPT-C, podrías volver a ser una persona productiva, tal vez manteniendo un diario de gratitud. Los empleados agradecidos son más productivos, eficientes y más responsables. Los empleados que expresan gratitud crean una sensación de camaradería en la productividad de la empresa.

Si bien la ansiedad es un mecanismo útil que el cuerpo utiliza para alertarte sobre el peligro al acecho y el despliegue de las respuestas de lucha o huida, se vuelve dañino cuando se desenfrena. Mediante un esfuerzo consciente por ejercer gratitud, vuelves a entrenar el cerebro para seleccionar solo las imágenes positivas y, por lo tanto, los resultados reducen la ansiedad. Un estudio realizado con un gran grupo de hombres mostró que una visión agradecida de la vida nos permite ganar aceptación sin temor al futuro. Los ejercicios de gratitud son especialmente útiles en el tratamiento de las fobias.

Como sobreviviente de un trauma, haz un esfuerzo consciente para dedicar un tiempo todos los días para expresar gratitud. Tal vez estés agradecido de vez en cuando, pero establecer recordatorios diarios contribuye en gran medida a cultivar pensamientos y hábitos positivos. Ser agradecido todos los días te ayuda a sobrellevar mejor los recuerdos traumáticos.

Aquí hay pequeños ejercicios para ayudarte a cultivar la alegría y la felicidad:

Apreciarte a ti mismo

Felicitaciones para mí	Personas por las que estoy agradecido
Activos circulantes	Retos actuales

La autoestima mejora el estado de ánimo. Mírate en el espejo y sumérgete en elogios por tus esfuerzos actuales, logros pasados, destrezas o habilidades y virtudes. También puedes incluir tu físico: está agradecido por tu nariz cincelada, tu cuello largo, etc. Usa palabras positivas como valiente, fuerte, hermoso y similares. Ten en cuenta que tu estado de ánimo mejora con cada adjetivo.

Lleva un diario de gratitud

Los psicoterapeutas recomiendan altamente la escritura expresiva. Haz tu diario de gratitud personal. Es posible que prefieras escribir entradas largas en el diario o simplemente una lista corta. Un registro diario es una prueba de que la gratitud intencional y dedicada mejora la calidad de vida. Tu entrada de diario puede tomar el siguiente formato.

Fig. 6.1 Muestra de diario

Un consejo para escribir en un diario con éxito es concentrarse en poner sus pensamientos en papel en lugar de escribir "bien". Tómate un tiempo para pensar en las cosas por las que estás agradecido. Sé lo más descriptivo posible.

Programa una visita de agradecimiento

Si tienes a alguien con quien sientes que se estás agradecido, visítalo. Este ejercicio te ayudará a expresar tu gratitud a propósito. Hazle saber a la persona que son importantes para ti en este viaje.

Hacer un frasco de agradecimiento

En este ejercicio, debes colocar el frasco estratégicamente para que se te recuerde estar agradecido durante todo el día, sino dos veces al día. Puedes elegir colocarlo al lado de la cama o cerca de tu cepillo de dientes en el baño. También puedes elegir decorar el frasco con características atractivas que te recuerden estar agradecido.

Reír en voz alta

Si te encuentras estresado o tienes pensamientos negativos, estalla en carcajadas por un minuto completo. La risa libera hormonas de la felicidad que te relajan. Esta es una excelente manera de distraerte de pensamientos y emociones repentinos no deseados. Si te sientes feliz en medio de un momento plagado de conflictos, no dudes en disfrutar de la felicidad. Celebra los logros menores para motivarte hacia los objetivos más grandes.

Haz un objetivo diario

Decide diariamente estar agradecido por alguien o algo. Si te despertaste y fuiste a correr durante veinte minutos, elige estar agradecido por esa placer. Ser deliberado acerca de la gratitud nos obliga a ser más receptivos a todas las cosas de la vida que, en nuestra ignorancia, no agradecemos. Anotar tus objetivos de gratitud a diario, te ayuda a evaluar tu mejoría para la semana y tal vez transmitir esa emoción durante la mayor parte de la próxima semana.

Encuentra un amigo de gratitud

Encuentra un compañero que te ayude a discutir lo que agradeces diariamente. Puede ser un amigo, un familiar o incluso un grupo de apoyo. Pueden abrirse el uno al otro para expresar plenamente su agradecimiento.

Reduce tus quejas

Es necesario presentar quejas porque es una retroalimentación valiosa; sin embargo, ten en cuenta por qué y con qué frecuencia te quejas. Hacer un cumplido por cada queja es una forma brillante de mantener la balanza equilibrada. Como cualquier otro ejercicio, anota cada queja y cumplido que hagas, y por la noche, evalúa tu día. Este ejercicio te ayudará a mantenerte en sintonía con tu salud mental.

Acto de bondad

Si has tenido a alguien, además de sus amigos y familiares, que te cae bien, tal vez tu profesor o tu médico, o el departamento de bomberos local, escríbele una nota de agradecimiento expresando su valor en la comunidad. Es posible que estas personas no reciban necesariamente gratitud por sus servicios, y esta es tu oportunidad de hacerles un cariño. Escribir esta nota de agradecimiento no solo hace que el destinatario se sienta bien, sino que también le recuerda al remitente lo increíblemente afortunado que eres de tenerlos.

Indicaciones de gratitud

El objetivo de este ejercicio es nombrar tres cosas por las cuales estás agradecido. Por ejemplo; Estoy agradecido por tres colores. Estoy agradecido por tres texturas; Estoy agradecido por los tres sonidos que escucho, y así sucesivamente. Puedes comenzar, detener y continuar este ejercicio en cualquier momento. Realmente abre tus sentidos y emociones para obtener lo mejor de esta prueba.

Hacer un collage

Un collage de gratitud te ayuda a visualizar las cosas por las que estás agradecido. Tal vez tomes fotos de las cosas por las que estás agradecido, y al final de la semana, echa un vistazo a tu collage prestando especial atención a cómo te sientes al respecto. Cuanto más practiques este ejercicio, más notarás las cosas por las que estás agradecido.

Una amplia investigación realizada con un grupo que sufría de depresión mostró que aquellos que practicaban ejercicios de gratitud mejoraron más rápido. Se dice que la gratitud crea resistencia emocional. La meditación nos ayuda a enfocar nuestras mentes hacia las personas y las cosas a las que estamos verdaderamente agradecidos. Muchos monjes budistas comienzan sus días y reuniones con una meditación de gratitud. Estos ejercicios de meditación son rápidos de aprender y están disponibles en línea.

Sin embargo, es digno de mención decir que la gratitud no es un sanador instantáneo. No desaparecerá para siempre tu angustia mental y tu lucha emocional. Por lo tanto, no esperes un milagro. Estos ejercicios funcionan para recordarnos que debemos aceptar la realidad y resaltar los aspectos positivos de dicha realidad. Los ejercicios de gratitud son una forma de expresar pensamientos positivos hacia nosotros mismos y el mundo que nos rodea.

La gratitud puede cambiar tu personalidad. Recuperarte del trauma puede ser una experiencia desalentadora porque la mente se reconstruye a partir de la demolición que ha sufrido continuamente. Durante esta reconstrucción, te redescubres a ti mismo bajo una nueva luz. Es posible que ya no regreses a tu vida anterior, sino que renazcas en una diferente donde estés más consciente de los muchos pequeños milagros de la vida y estés agradecido por ellos. Puedes ser menos materialista cuando inicialmente habías sido muy vanidoso. Podrías volverte más espiritual, mientras que inicialmente, la noción de una presencia eterna parecía descabellada.

La práctica diaria de ejercicios de gratitud te ayuda a mantener alta tu vibración. Es la técnica más obvia pero ignorada para obtener lo que deseas. No hay límite para lo agradecido que puedes estar en un día. Por ejemplo, si tu objetivo es ser feliz, en lugar de pensar en lo agotadora que es tu vida en este momento, o qué tan deprimido has estado últimamente, concéntrate en apreciar las experiencias que has tenido y las oportunidades diarias renovadas en la vida. Aprovecha el poder de la gratitud para realizar tus deseos.

Capítulo 7: Modo floreciente

El abuso narcisista es un abuso emocional o psicológico dirigido por un narcisista a otra persona. Principalmente, se centra en el abuso psicológico y emocional, pero hay otras formas de abuso narcisista, como el sexual, físico y financiero. Se desconoce la causa de este trastorno, pero podría desencadenarse por factores ambientales, genéticos y neurobiológicos.

Para que uno se recupere del abuso narcisista, comprender qué forma exhibe el abuso narcisista y sus efectos es fundamental. El abuso narcisista viene en forma de obsesión con sus errores, ignorando las acciones del narcisista, sintiéndose inútil, devaluando sus contribuciones, desconectándose de sus propias necesidades y deseos, idealizando al narcisista y obsesionándose por hacer feliz al narcisista entre muchos otros.

Incluso una vez que se da cuenta de los efectos, no es fácil superar esta situación, ya que la mayoría de las personas no saben qué hacer. Pero es importante que uno salga a redescubrir un sentido de sí mismo y tome el control de su vida. A continuación hay una compilación de formas que uno puede usar para superar los efectos del abuso narcisista y recuperar su vida:

Establecer límites

Hay un dicho común, ojos que no ven, corazón que no siente. Cuando veas a alguien que te recuerde algo, será difícil seguir adelante o interrumpir el proceso de curación. Por lo tanto, es la mejor manera de superar el abuso narcisista si puedes escapar físicamente. Cualquier recuerdo del pasado con el narcisista desencadenará el dolor y ralentizará el proceso de recuperación. Incluso puedes considerar bloquearlos en tu teléfono, correo electrónico y cualquier otra forma de interacción como las redes sociales. Además, no acechar sus perfiles.

Digamos que no es posible salir físicamente de tu entorno, posiblemente debido a tu trabajo u otras razones genuinas, todavía existe una técnica que puedes emplear que no implica que no veas o estés cerca del narcisista. Esta técnica se llama "roca gris". Cómo funciona esto es que mientras interactúas con él / ella, permaneces desconectado mental y emocionalmente, y al hacer esto, no les das nada de qué alimentarse. Aunque es posible que te duela por dentro, no dejes que se vea. Una vez que estés en un lugar donde estés solo, puedes hacer lo que sea que te brinde alivio. Gritos, llanto y maldiciones vienen a mi mente, muy buena idea, ¿verdad?

Una forma diferente de establecer un límite es practicando cómo usar una palabra NO. Deseas estar de acuerdo con todo lo que se dice. Otras personas deben notar tu posición cuando se trata de algunos asuntos. Esto ayudará enormemente, no solo al hacer que otros te respeten, sino que también to ayudará a construir una verdadera confianza y autoestima. El límite debería funcionar como una pared celular. Una pared celular mantiene los nutrientes importantes y excreta las sustancias tóxicas. Sé muy selectivo con respecto a quién dejas entrar.

Debe quedar claro que la conclusión de establecer estos límites es una forma de cuidarse. Los límites hacen que los demás sepan qué esperar de nosotros y definitivamente qué esperar de ellos sobre cómo nos tratan. Cuando comunicamos nuestros límites con claridad cristalina, es muy natural que las personas los respeten. Sin embargo, algunos harán todo lo posible para resistir nuestros esfuerzos. Pueden ignorar, culpar e intentar manipularnos o incluso lastimarnos físicamente. Si se produce este tipo de retroceso, es posible que desees volver a evaluar los límites que no se respetan y considerar otras opciones y tomar medidas.

Ser asertivo

Para superar el abuso del narcisista, es posible que no desees ser agresivo o pasivo. Una forma de ser asertivo es aprender a usar reacciones temporales para manejar los abusos verbales. Por ejemplo, "lo haré a mi manera". Ser pasivo, como ignorar el conflicto y la ira, empodera al narcisista. Los narcisistas ven esto como una debilidad y una oportunidad de ganar más control y poder sobre ti.

Un narcisista apenas toma en cuenta sus acciones malvadas e ilegales. Niegan el error y te culpan por ello, sin remordimiento alguno, y tienen una satisfacción extrema al causar dolor y sufrimiento a los demás. Su objetivo es destruir y causar sufrimiento y dolor. La intención es ganar más control sobre ti y continuar aumentando la dominación mientras desarrollas dependencia, vergüenza y duda en ti. Cuando entiendes esto, te da más poder para superar el abuso.

Un narcisista es un acosador y te hará sentir responsable de sus comportamientos. No te culpes por nada; No tienes nada que ver con los abusos. Por lo tanto, nunca sientas culpa porque sus expectativas nunca se pueden cumplir, no importa cuánto lo intentes. Deriva los abusos de sus inseguridades, y tú solo eres responsable de cómo respondes. Por ejemplo, es posible que no desees responder tratando de racionalizar, negar o disculpar sus abusos. Es mentira creer que mejorará o detendrá los comportamientos en el futuro.

Todos los comportamientos de un narcisista requieren que tú reacciones asertivamente para ponerlo en su esquina. Por ejemplo, aprende más sobre el narcisismo y comparte la información con él. Explícale su conducta, razones y tal vez sus motivaciones para diferentes comportamientos. Tienes que planificar bien esto sobre cómo y cuándo hacer esto y comunicarte sin ser emocional. Otra forma es enfrentar el abuso con pura confianza porque tu autoestima se destruirá si permites el abuso. Mantente firme y mantén la calma mientras hablas por ti mismo mientras controlas las emociones.

Conoce tus derechos

Conocer tus derechos es muy importante. Cuando conoces tus derechos, te siente con derecho a algo y las personas deben respetarlo. Exiges el respeto de las personas y les haces saber que esperas que te traten de cierta manera. Estos derechos pueden incluir: El derecho a ser respetado, no estar obligado a tener relaciones sexuales cuando te niegues, el derecho a la privacidad, el derecho a opiniones y sentimientos. Cuando uno está expuesto al abuso durante mucho tiempo, tu autoestima disminuirá lentamente y la confianza en ti mismo también corre el riesgo de ser destruida. Para una persona que ha sufrido un abuso a largo plazo y ha sufrido una baja autoestima y una baja confianza en sí mismo, a continuación se detallan las formas en que uno puede restablecerse para ganar confianza en sí mismo:

- Haz una lista de tus fortalezas y otra lista de tus logros. Puedes conseguir que tu amigo o familiar cercano y comprensivo te ayude a crear estas dos listas. Después de eso, guarda estas listas en un lugar seguro donde puedas leerlas todas las mañanas mientras te despiertas para un nuevo día.

- Presta mucha atención a la higiene de tu cuerpo: toma una ducha, córtate las uñas y córtate el cabello o hazte un peinado, etc.

- Usa ropa elegante que te haga sentir bien contigo mismo. Traje planchado, por ejemplo, en lugar de arrugado.

- Haz ejercicio de forma regular. Inscríbete en el gimnasio para que puedas asistir a las sesiones en tu tiempo libre o simplemente ir a caminar por la mañana o por la noche.

- Asegúrate de dormir lo suficiente de forma natural. Es mejor acostarse temprano y levantarse temprano por la mañana en lugar de dormir tarde y levantarse tarde por la mañana.
- Haz que tu entorno sea propicio. Por ejemplo, haz que el espacio de vida sea cómodo, limpio y atractivo.
- Haz cosas que ames y disfrutes hacer. Puedes ver películas, escuchar tu lista de reproducción de música favorita, andar en bicicleta o nadar. Cualquier cosa que eleve tu espíritu y te haga sentir bien y feliz.
- Piensa positivo sobre ti mismo. A pesar de todos los desafíos y problemas por los que podrías estar pasando ahora, recuerda que eres alguien especial y valioso.
- Comer comida sana. Asegúrate de tener una dieta equilibrada en tus comidas y haz que los momentos sean especiales. Apaga la televisión, pon tu mesa y disfruta de tu buena comida.
- Evita personas o lugares que te traten mal.

Ser estratégico

Necesitas tener una estrategia sobre cómo vas a enfrentar estos abusos. Averigua qué quieres específicamente, tus límites y el poder que tienes en la relación. Debes tener en cuenta que una persona narcisista siempre está a la defensiva. Hay varias estrategias que puedes emplear para este propósito. Echemos un vistazo a algunas de las estrategias:

Verificar el abuso

Excepto cuando la persona es emocional o físicamente abusiva, esto debería ayudar. Si estás siendo abusado, lo primero que debes hacer es explorar por qué le resulta difícil salir de la relación. No importa la causa, pero la realidad es que el abusador es totalmente responsable de sus acciones.

Comprueba tu silencio

Cuando nuestra autoestima ha sido destruida, ocasionalmente recurrimos a guardar silencio durante una discusión. Sin embargo, necesitamos encontrar una voz para que las cosas mejoren. El silencio es una forma de lidiar con la tristeza o la ira.

Comprueba tu ira

La ira es una forma de medida de protección ante una situación indiferente. Sin embargo, debemos comprobarlo, ya que nos aísla de la información.

Verifica si están dispuestos a cambiar

Si tu pareja está lista para trabajar contigo, entonces esa es una gran ventaja en un esfuerzo por mejorar la relación. La forma más fácil de hacerlo es buscar ayuda de un terapeuta.

Ten cuidado con la manipulación

Los narcisistas son personas tan manipuladoras, y hacen lo que sea necesario para obtener lo que quieren.

Honestidad contigo mismo

Probablemente la única razón por la que todavía estás esperando es el cambio. Pero llega un punto en el que debes ser honesto contigo mismo y admitir que has intentado todo lo que puedes sin resultado. ¡Así que sigue adelante!

Ser educativo

El número estimado de individuos con trastornos narcisistas, según las investigaciones, varía ampliamente. Además, la percepción que tienen las personas sobre el trastorno narcisista y las características del narcisista difieren mucho. Debes ser consciente de que existen. Por lo tanto, debes informarte sobre cómo reconocerlos. Es debido a su comportamiento encantador que utilizan para ocultar sus comportamientos narcisistas, que a la mayoría de las personas les resulta difícil de ver o darse cuenta al principio. Esto se debe a que no saben qué buscar, tampoco cómo estos comportamientos narcisistas impactan negativamente en sus vidas.

Hay mucha buena información por ahí. Por lo tanto, solo tienes que leer tanto como sea posible, para informarte sobre este trastorno y descubrir por ti mismo qué ideas se relacionan bien con cómo te sientes.

También hay investigaciones que muestran que los narcisistas tienen déficits neurológicos que afectan las reacciones interpersonales. Quizás la mejor manera de ayudarte aquí es educar al narcisista como un niño. Encuentra una manera de explicar cómo sus comportamientos impactan negativamente en los demás. Proporcionar aliento e incentivos para diferentes comportamientos. Es posible que tengas que planificar cómo vas a comunicar esto sin ser emocional.

Enfrentarse al abuso de manera efectiva

Este es un paso muy importante a tomar. Es una forma de salvar tu autoestima y confianza. Permitir que el abuso continúe por mucho tiempo daña tu autoestima. Esto no debe significar que pelees o discutas con un narcisista. Es una pérdida de tiempo y energía discutir sobre los hechos con el abusador. No les importan los hechos, solo les interesa justificar sus acciones y tener razón. Los argumentos verbales y el intercambio de palabras con ira pueden escalar fácilmente a peleas, que pueden agotarte y dañarte. De esta manera no se gana nada; solo puedes terminar lastimado y sentirte más victimizado y sin esperanza.

Discutir es tan ineficaz como amenazar o rogarle al abusador que te entienda. Por ejemplo, hacer amenazas que nunca puedes implementar puede dar lugar a represalias. No hagas una amenaza que sepas que no puedes hacer cumplir. Es más efectivo y fácil establecer límites que, cuando no se respetan, conducen a consecuencias directas. Además, con suplicar, es un signo de debilidad, que los abusadores desprecian en sí mismos y en los demás. Esto puede hacer que reaccionen despectivamente con disgusto o desprecio.

Enfrentarse al abusador, por lo tanto, debe tener un propósito y solo debe servir para mostrar tu posición. Tiene que ser una forma de hablar por ti mismo, lo que requiere que lo hagas con una mente clara y tranquila. Solo puedes manejar esto estableciendo límites para proteger tus emociones, mente y cuerpo.

Tener consecuencias

Es posible que después de establecer tus límites, se ignoren. Por esta razón, es importante comunicar claramente las consecuencias e invocarlas en consecuencia. Sin embargo, también debes establecer límites saludables que se basen en el respeto mutuo. Es importante reconocer las violaciones tal como son, ya que esto te ayudará a crear límites donde se respeten tus sentimientos y necesidades.

También es importante no establecer límites que no estés dispuesto a mantener. Puede estar seguro de que el narcisista se rebelará contra estos límites y probará hasta dónde puedes llegar. Debes asegurarte de que cada límite roto se siga con la consecuencia especificada. Si no lo haces, estás enviando un mensaje de que no estás interesado en estos límites y, por lo tanto, no se te tomará en serio. Realmente depende de ti mantenerte firme para que esto tenga éxito, ya que el narcisista intentará manipularte, ya que él / ella está amenazado para tratar de tomar el control de tu vida porque él / ella está acostumbrado a ser el que está en poder y tomar las decisiones.

Tener consecuencias es, por lo tanto, sin debate, muy útil y eficaz para tratar de hacer frente a los abusos del narcisista siempre y cuando te mantengas firme en los límites establecidos y las consecuencias específicas. Las consecuencias, por ejemplo, pueden informarle que tome las medidas necesarias, como salir de la relación con el narcisista como resultado de límites establecidos definitivamente rotos. Esto significa que eventualmente te habría ayudado a convencerte de que es la mejor opción a tomar en beneficio de tu salud y seguridad.

Obtén apoyo y propósito en otro lugar

El apoyo es necesario para responder eficazmente al abuso. Sin apoyo, es fácil decaer en la auto-duda y eventualmente sucumbir a la desinformación abusiva del narcisista. El apoyo es esencial, ya que puedes recibir rechazo y violencia cuando te enfrentas a los abusos. Necesitarás herramientas para defenderte y protegerte y ayudar a elevar tu autoestima, lo que aliviará cómo te sientes si eliges quedarte o irte.

Si decides mantenerte en una relación con el narcisista, debes ser honesto contigo mismo, por ejemplo, con respecto a lo que puedes o no puedes cambiar o esperar. Un narcisista no es alguien de quien pueda estar seguro de que las cosas cambiarán, y comenzar a preocuparse por ti o valorarte. Por lo tanto, tendrás que buscar apoyo emocional en otro lugar.

Pasa tiempo con personas que sean honestas contigo y te darán un verdadero reflejo de quién eres realmente. Esto te ayudará a mantener la perspectiva y evitar caer en las manipulaciones y distorsiones del narcisista. Además, te ayudarán a validar cómo te sientes y tus pensamientos. Hacer nuevas amistades también ayudará. Los narcisistas te aislarán de otras personas para controlarte mejor y tener poder sobre ti. En este caso, es posible que desees invertir más tiempo en revivir amistades que hace tiempo no ves o crear nuevas relaciones.

También puedes involucrarte en actividades como el voluntariado en tu vecindario o en el trabajo, esto requiere el uso de tus habilidades y talentos, lo que te permite hacer contribuciones. Esto definitivamente te ayudará a sentirte bien contigo mismo en lugar de buscar a alguien más para que te sientas bien.

Confía en tu intuición

Este es un punto en el que hacemos un análisis post-mortem y comenzamos a asumir la responsabilidad de que una parte de ti sabía lo que sucedería, pero lo ignoraste. Tal vez en algún momento temprano de la relación, tuviste una cierta sensación en el estómago. Quizás las cosas que dijeron o la forma en que actuaron no cuadraron. Pregúntate por qué razón tuviste ese tiempo para ignorar el llamado de tu intuición. Podría ser porque realmente querías que la relación funcionara, o tal vez sus actos de "amor" llenaron ese espacio dentro de tu alma, evita posiblemente dejar atrás las experiencias de la infancia.

Si nunca experimentaste el amor verdadero cuando eras niño, específicamente de tus padres o tutores, es normal buscar la satisfacción del amor ahora como adulto. Sin embargo, es una vulnerabilidad que un narcisista puede notar y la usa para controlar tu vida. Trata tu intuición como un amigo, y cuanto más confíes y escuches, más fuerte e volverás y te darás cuenta de tu valor.

El narcisismo no solo se experimenta en nuestras relaciones amorosas, también los encontramos en el hogar, en los lugares de trabajo, en nuestras escuelas y en nuestras amistades. Por lo tanto, interactuamos con estas situaciones con más frecuencia de lo que piensas, solo que tal vez no las notamos. Es por esta razón que aprendemos las características de los narcisistas para reconocer cuándo nos topamos con ellos y equiparnos con herramientas para superar sus abusos, como los que se resaltaron anteriormente. Recuerda que la persona con conciencia y sensibilidad es la persona sana en la relación, mientras que la persona con un sentimiento de derecho y trata a otra persona con falta de respeto, normalmente no es saludable emocionalmente.

El juego central de los narcisistas es destruir tu confianza y autoestima. Lo hacen al revocar nuestras emociones, lo que expone nuestra vulnerabilidad. Por lo tanto, es útil no mostrar nuestras emociones al interactuar con ellas, ya que utilizan oportunidades como esta para entrar y manipularnos. Desarrollar tu autoconfianza te ayudará a protegerte de estos abusos. Consulta las formas anteriores sobre cómo construir o restablecer tu autoconfianza.

Capítulo 8: Entrar en una nueva relación

Puedes estar bien equipado mental y emocionalmente para reconocer las advertencias manifiestas de que estás comenzando una relación tóxica con un narcisista. Pero desafortunadamente, muchas personas desconocen estas banderas rojas y se sentirán fácilmente atraídas por estas personas tóxicas.

La buena noticia es que una relación narcisista eventualmente terminará. Los narcisistas tienden a cansar a sus víctimas una vez que están explotando su apoyo y recursos, como dinero o atención. Luego dejarán tu vida sin tanta advertencia, de la misma forma la forma en que entraron.

La ruptura te dejará devastado, pero con el tiempo, apreciarás su ausencia en tu vida. Una vez que te recuperes de la ruptura, debes concentrarte en seguir adelante con tu vida. Estas son algunas de las señales que te ayudarán a saber que finalmente has terminado una relación narcisista y que estás listo para salir nuevamente.

Señales que estás listo para una nueva relación

Ya no piensas en ellos

Una vez que dejas de pensar y preocuparte por tu último amor, entonces es una excelente señal de que finalmente los superaste. En las etapas iniciales de la ruptura, estarás preocupado por ellos y, como tal, incluso podrías verte tentado a buscar una reunión. Sin embargo, con el tiempo, obtienes una nueva perspectiva y no encontrarás ninguna razón para prestarles atención.

Además, una vez que los elimines de tu mente, podría significar que puedes encontrarte con ellos cómodamente o escucharlos a través de tus amigos en común sin que esos sentimientos pasados vuelvan a surgir. Ya no te preocupas por ellos.

No tienes odio por ellos

Cualquier ruptura de una relación generalmente viene con muchas emociones en conflicto, más aún si rompes con un narcisista. Es posible que tengas un odio intenso hacia ellos, especialmente cuando recuerdes todas las cosas incorrectas que hicieron para lastimarte. A veces, sin embargo, te encuentras anhelando que vuelvan a entrar en tu vida. Todos estos sentimientos en conflicto pueden ser confusos, y es posible que tengas un dilema de si seguir adelante o volver a ellos. Los expertos en relaciones aconsejan que te tomes un tiempo libre de cualquier relación hasta que hayas tratado de manera concluyente con estas emociones conflictivas. El día que te das cuenta de que ya no odias a tu ex pareja es el día en que eres completamente libre. Entonces puedes seguir con tu vida.

Cuando puedes sincerarte libremente

En la mayoría de los casos, puede resultarte difícil sincerarte sobre tus relaciones abusivas en el pasado. Podría ser porque tienes miedo de la vergüenza y el estigma que pueden venir de tales revelaciones. Sin embargo, es una buena idea sincerarte a alguien en quien confíes sobre tu pasado. Este es un paso esencial en el proceso de curación. Todavía es un consejo capaz de liberarte de tu abusador y seguir adelante, sin mirar atrás. Cuando te encuentras listo para hablar sobre tu relación abusiva pasada, entonces podría ser una gran señal de que finalmente estás listo para seguir adelante.

Además, abrirse podría significar más que solo contarle a un amigo cercano. Cuando se trata de acoso o abuso doméstico, por tu seguridad debes involucrar a las autoridades. Aunque puedes sentir que estás traicionando a tu ex, es bueno que exista un reporte policial por tu seguridad. Cuando te das cuenta de que hablar sobre tu abuso es lo correcto y ya no te sientes mal ni culpable, entonces sabes que finalmente eres libre. Si puedes hacer esto con éxito, significa que estás completamente libre de tu relación pasada, y ahora estás listo para salir de nuevo.

Ya no los acosas

Después de una ruptura, puedes tener la tentación de acechar a tu ex, principalmente a través de las redes sociales. La tentación de descubrir lo que están haciendo puede ser particularmente abrumadora. La curiosidad nunca puede hacerte daño, pero si sientes curiosidad por las actividades diarias de tu ex narcisista, entonces hay una razón para preocuparte.

Un narcisista puede aprovechar tu naturaleza curiosa para pretender estar triste o ansioso y sufriendo sabiendo demasiado bien que está monitoreando sus vidas. Así es como te engancharán y te harán sentir responsable de sus emociones.

Pero si ya no te preocupas por lo que están haciendo o con quién se juntan, entonces es una buena señal de que finalmente los superaste y ahora estás listo para seguir adelante con tu vida.

No te sientes mal acerca de tus experiencias pasadas

Puede que siempre tengas la tentación de juzgarte severamente por no ver a través de las mentiras de tu ex narcisista. Es posible que te arrepientas de ignorar las advertencias evidentes que podrían haberte ayudado rápidamente a saber que estabas en una relación abusiva. Aun así, puedes estar amargado contigo mismo por ser tan tonto y no huir de tu abusador. Todas estas culpas son una señal de que no estás completamente curado y que quizás no estés listo para una nueva relación.

Los narcisistas son hábiles para manipular a otros, y se dirigen principalmente a personas exitosas y seguras para impulsar su imagen. No sirve de nada culparse por sus acciones.

Una vez que ya no te sientas tonto y no dudes de tus habilidades de pensamiento crítico, entonces es hora de que salgas a una cita con alguien más.

No tienes miedo de enamorarte de una persona similar de nuevo

Los primeros días iniciales después de su ruptura pueden hacer que tengas tanto miedo de conocer gente nueva. Puedes terminar siendo demasiado cuidadoso y estar siempre vigilando para no encontrarte con otra persona que te tratará tan mal como tu ex.

Una vez que detenga la innecesaria precaución de buscar un narcisista en cada persona que conozcas, entonces podría ser una gran señal de que ahora estás listo para seguir adelante con tu vida. Esto significa que puedes interactuar libremente con otras personas sin tener ese pensamiento persistente de que pueden poseer las mismas cualidades que las de tu ex.

Cuando vayas a citas con un alguien nuevo, y te das cuenta de que tu mente está libre de cualquier emoción negativa asociada con tu ex narcisista, es una buena señal de que estás finalmente curado y ahora puede establecerte con otra persona.

Cuídate

El abuso de narcisistas puede causar estragos en ti, tanto física como emocionalmente. Pasar por tal experiencia podría significar que estabas tan estresado que no pudiste cuidarte bien. Como resultado, es posible que hayas necesitado perder o aumentar demasiado de peso. También puedes haber ignorado los buenos hábitos beneficiosos que podrían mantenerte en forma y saludable, como los entrenamientos regulares y comer alimentos saludables. Esto hará que tu cuerpo responda a los cambios negativos, y puede tener un brote de acné o incluso enfermedades complicadas como ataques cardíacos y diabetes. Como resultado del estrés, puedes terminar viéndote tan viejo, triste y demacrado o tan delgado o gordo.

Sin embargo, una vez que estés fuera del ambiente tóxico, te encontrarás cuidando nuevamente tu cuerpo. Puedes comenzar a ir al gimnasio nuevamente. También serás más consciente del tipo de alimentos que consumes, y harás un esfuerzo consciente para elegir alimentos saludables en lugar de los no saludables. Tu cuerpo se volverá más fuerte y tu apariencia física mejorará mucho. Esto podría ser una gran señal de que has superado tu relación abusiva y que estás listo para comenzar de nuevo.

Estás listo para correr el riesgo nuevamente

A menudo se dice que el gran amor y los grandes logros implican algunos riesgos significativos. Puedes experimentar algo de nerviosismo ante la idea de volver, especialmente después de una ruptura de una relación abusiva. Esto, sin embargo, es un sentimiento normal. Pero si todavía estás convencido de que tu próxima relación podría no funcionar o terminar convirtiéndose en una copia exacta de la última, entonces probablemente necesites más tiempo para recuperarte por completo.

La verdad es que todas las relaciones conllevan algún elemento de riesgo. El día en que encuentres la fuerza interior y hayas encontrado una base sólida de independencia, entonces es una excelente señal de que estás listo para seguir adelante.

Pero si no estás seguro de hacerlo o no, espera un momento antes de hacer ese movimiento. Siempre que tengas dudas, es aconsejable hablar con alguien de tu confianza. Este podría ser tu amigo más cercano o tu consejero. Pero una vez que hayas despejado todos tus miedos y dudas, entonces es un gran momento para conocer gente nueva.

Quieres genuinamente comenzar una nueva relación

Una señal adicional de que estás listo para una nueva relación después de una relación narcisista es que sabes dentro de ti mismo que realmente quieres comenzar una. Sin embargo, si solo deseas comenzar una nueva relación porque estás bajo mucha presión o te sientes inadecuado y solo, entonces es aconsejable no comenzar una en este momento. La relación puede terminar siendo igual de insatisfactoria y vacía.

Si deseas evitar más daños, elije esperar a esa persona especial que realmente te complementa y te hace sentir feliz y completo una vez más.

Sin embargo, encontrar a esta persona ideal puede requerir mucho tiempo y paciencia de tu parte. Una vez que realmente sientas que deseas comenzar una nueva relación por las razones correctas, es hora de que encuentres a esa persona única con la que realmente te conectas y quieres como pareja.

Redefiniendo lo que es sexy después de una relación narcisista

Es posible que hayas encontrado varias imágenes de lo que la sociedad percibe como personas atractivas en revistas o comerciales de televisión. ¿Pero alguna vez te has detenido a considerar el significado de ser sexy? ¿Podría ser que alguien en algún lugar establezca estándares específicos para el resto de nosotros sobre lo que conlleva la sensualidad y el atractivo?

Después de tener una relación abusiva, es normal que te obsesiones con ser sexy y atractiva una vez más. Sin embargo, debe tener más cuidado con la forma en que lo hace. Esto se debe a que sexy no siempre significa seguro. Algunos hombres/mujeres pueden aprovechar tu vulnerabilidad y baja autoestima bajo la suposición equivocada de que te sentirás agradecido de que cualquier persona se sienta atraído por ti.

Además, debes saber que ser sexy y atractivo va más allá de la apariencia y todo lo que constituye el "aura". Hay una persona increíblemente sexy y atractiva dentro de ti que grita que la dejen salir. Así es como puedes redefinir la sensualidad en tu mundo único y hacer que todo el mundo tenga más que una mirada curiosa hacia ti.

No pienses que no eres atractivo; Hazte atractivo en su lugar

Aprende a desarrollar la actitud correcta sobre tu atractivo. Este es un paso esencial para redefinir tu sensualidad una vez más. Si te consideras atractivo, entonces otros te seguirán y te encontrarán atractivo también. El cambio sucederá en ese momento; tomas una decisión consciente de verte y hacerte hermosa(o).

No dejes que tu relación pasada afecte tu vida actual

Matas tu sensualidad con miedo si llevas el equipaje de tu pasada relación fallida a tu vida actual. El dolor y la angustia que sufriste en el pasado pertenecen al pasado. Debes lidiar con ellos de manera concluyente para que puedas avanzar hacia una nueva vida de felicidad. Debes aprender de dónde has estado y estar decidido a mejorar emocionalmente tu vida actual. Tratar con tu pasado de manera decisiva aumenta tu nivel de confianza y te hace encantador tanto para ti como para tus amigos

Encuentra tu confianza

Nadie es tan atractivo y sexy como una persona demasiado segura de sí misma. Necesitas creer en ti mismo, saber quién eres. Una vez que domines esto, continuarás con tus asuntos diarios, exudando cierto atractivo para quienes te rodean. Posees un aura de misterio y envías el mensaje de que eres una persona emocionante. Si logras construir con éxito tu nivel de confianza, la mayoría de las personas te encontrarán muy atractivo y querrían relacionarse contigo. Esta es una gran manera de hacer amigos.

Vístete bien y date un capricho

Tu elección de ropa puede mejorar significativamente tus características físicas. Tienes que averiguar qué ropa y colores te quedan mejor. Determina qué ropa te hace lucir genial y atractiva.

Cuando te vistes bien, tiendes a ser más seguro y atractivo. Una vez que te hayas vestido, sal a una cita, preferiblemente a un restaurante caro que se adapte a tu clase y estado. Siéntete cómodo cenando solo, y esto enviará vibraciones atractivas a cualquiera que te vea.

Mantener la postura correcta

Una de las cosas más atractivas de una persona es su postura. Tu postura y la forma en que generalmente te presentas envían un mensaje sutil a todo el mundo sobre quién eres realmente. Haz contacto visual intencional con las personas a tu alrededor. Da sonrisas aleatorias y párate alto, los hombros relajados.

Aprende a practicar pararte erguido para comunicar confianza en tu cerebro, lo que desencadenará tus sentimientos para sentir lo mismo.

Aprende las habilidades de un buen romance

El romance no es tan complicado como mucha gente piensa. Podría ser tan simple como mirar a los ojos de tu pareja para descubrir qué sucede dentro de ellos. El romance también puede ser la elección de las palabras que utilizas cuando te comunicas con tu pareja durante el día o la noche, ya sea de boca en boca o mensajes de texto y llamadas. Cuando te tomas tu tiempo para profundizar en tu corazón y seleccionar las palabras correctas para decirle a tu amante, puedes crear un sentimiento natural de romance. Una vez que dominas el arte del romance, terminas siendo el hombre o la mujer más romántica, y muchos encuentran que las personas apasionadas son encantadoras.

Ámate a ti mismo y a tu vida

Necesitas encontrar lo que sucede dentro de ti y tu corazón. Eres una persona valiosa que tiene mucho que ofrecerte a ti mismo y al resto del mundo. Crea un gran interés en tu vida, lo que te motiva a despertarte cada mañana. Desarrolla un sentido de propósito que te impulse a descubrir por qué existes y cómo puedes aportar una diferencia a tu mundo.

Aprende a tomar el control total de su vida para pasar tu tiempo haciendo las cosas que te hacen feliz y que pueden tener un impacto positivo en la vida de los demás. Aprende a escuchar tus sentimientos internos y esfuérzate por satisfacer tus deseos e impulsos. Una vez que aprendes a amarte a ti mismo y a tu vida, logras convertirte en una persona increíblemente atractiva y sexy.

Cómo a convertirte en tu propia Fuente de felicidad

Dicen que eres responsable de tu felicidad. Y no hay nada que pueda ser más cierto que esta afirmación. Tu felicidad está realmente bajo tu control. Debes evitar dejar que tu felicidad sea controlada por fuerzas externas. En cambio, usa los siguientes consejos para crear tu felicidad:

Haz de ti mismo una prioridad

Deberías mostrarte un poco de amor real priorizando lo que te hace feliz. Esto no debería ser aleatorio, pero debería ser una práctica de rutina para hacer regularmente todos los días. Sal y date un capricho sin razón alguna de vez en cuando. Pon tu música favorita y baila sola. Hazte la pedicura y manicura. También debes ir de compras y comprarte ese vestido elegante y caro con el que sueñas. Participa en actividades que te satisfagan y refresquen y recarguen tus batería para hacerte feliz.

Haz las pequeñas cosas que amas más a menudo

No tienes que hacer cosas elegantes para ser feliz. A veces encuentras felicidad en las pequeñas cosas que haces. Podría ser un sorbo de su marca de café favorita o esa deliciosa comida, lo que te da alegría. Podrías estar viendo tu programa o película favorita. O podría ser ese ejercicio de yoga que encuentras tan relajante y terapéutico. Encuentra esas pequeñas cosas que te hacen feliz y hazlas más.

Ponte a prueba haciendo algo nuevo

Necesitas romper tus rutinas monótonas y aburridas y de vez en cuando hacer algo nuevo. Esto no solo te dará felicidad sino que también renovará tus energías. Prueba algo nuevo que nunca antes hayas probado. Podría ser esa caminata a través de la colina o paracaidismo. Ve a actividades que disparen tu adrenalina.

Dormir lo suficiente

Dormir es vital para mejorar tu estado de ánimo, felicidad y autocontrol. El sueño permite que tu cerebro se recargue y elimine los subproductos tóxicos de la función neuronal saludable del cerebro. Dormir lo suficiente asegura que te despiertes sintiéndote lleno de energía, concentrado y sin estrés.

Hacer los entrenamientos

Los ejercicios mejoran tu estado de ánimo y contribuyen enormemente a tu felicidad. Los estudios muestran que las personas que participan en entrenamientos regulares son mucho más felices, productivas y exitosas en el logro de sus objetivos de vida. El ejercicio también ayuda a limitar la impulsividad.

Cómo mantenerte soltera y bendecida

Es posible que tengas dificultades para mantenerte cómodo después de una ruptura. Sin embargo, la felicidad no está necesariamente ligada a tu alma gemela. En realidad, es posible ser soltero y feliz. Necesitas aprender a ser feliz sin depender del estado de tu relación. Los siguientes consejos lo ayudarán a estar solo y feliz.

Aprende a hacer las cosas por tu cuenta

La mayoría de las personas tienen miedo de realizar sus actividades normales por su cuenta. Debes aprender a ir de compras por tu cuenta. Salir al cine o cenar solo. Aprende a disfrutar tu vida solo. Tu felicidad es tu elección personal, y no está vinculada a otra persona.

Desarrollar otras relaciones

Necesitas fomentar otras relaciones significativas con familiares o amigos. No es una condición que te involucres románticamente para ser feliz. La familia y los amigos pueden ser una gran fuente de apoyo y felicidad. Crea más tiempo para ellos porque ofrecen el soporte más excepcional cada vez que enfrentas los desafíos de la vida.

Conocer gente nueva

Necesitas cultivar las habilidades necesarias que te permitan conocer gente nueva sin tener necesariamente una cita romántica. Habla con otras personas pero, lo que es más importante, escucha lo que tienen que decir sobre una amplia gama de temas. Debes salir de tu zona de confort y organizar reuniones intencionalmente con gente nueva.

Consiéntete

Mientras estés soltero, debes mantener una autoimagen positiva. Sal de compras y compra ropa nueva. Hazte la pedicura o manicura, pasa un tiempo en un spa u regálate ese excelente masaje. Asegúrate de hacerte cosas hermosas con más frecuencia. Eres una persona maravillosa que merece lo mejor

Mantener una empresa positiva y solidaria

No pases mucho tiempo solo. Pasa más tiempo con personas que te hagan feliz. Únete a un club si es necesario. Además, asegúrate de estar en la compañía correcta de personas que resuenen con algo de energía positiva. Obtén apoyo de personas en las que puedas confiar y que no juzguen tu soltería.

Conclusión

Gracias por llegar hasta el final *Guía de curación del abuso narcisista:* ¡Sigue la guía esencial de recuperación de narcisistas, sana y deja atrás una relación emocional abusiva! ¡Recupérate del narcisismo o del trastorno narcisista de la personalidad! Esperemos que sea información valiosa y que pueda brindarte y a tus seres queridos todas las herramientas que necesitas para superar cualquier ejemplo de abuso narcisista. Al terminar este libro, podrás poseer el dominio que buscas al tratar con cualquier narcisista que te rodea y cómo sentirte mejor incluso después de sufrir como víctima de un narcisista.

Hemos pasado por las historias de éxito del abuso narcisista y la comprensión del trastorno narcisista de la personalidad. Este libro ha ofrecido técnicas fáciles de usar pero muy poderosas y efectivas para abordar cualquier signo de abuso narcisista. Ahora estás familiarizado con el concepto de pseudo-personalidad. Además, has aprendido sobre las estrategias necesarias para lidiar con la pseudo-personalidad, incluida la forma en que puedes reconocer que tienes una pseudo-personalidad.

Para que este libro funcione para ti, es vital que apliques todos los consejos y técnicas que has leído aquí. Puede que no estés en el orden en que los enumeré en este libro, pero debes usarlos todos para obtener los máximos beneficios. Ahora sabes lo que debes saber y decidir superar cualquier desafío de memoria, independientemente de la causa. Lo siguiente que querrías hacer es hacer una solicitud de lo que deseas. Al comprar este libro, tendrás la oportunidad de comenzar de nuevo una vida llena de actividad, conciencia y memorización de experiencias importantes en la vida.

Finalmente, si encuentras este libro útil de alguna manera, ¡siempre se agradece una crítica honesta!

www.ingramcontent.com/pod-product-compliance
Lightning Source LLC
Chambersburg PA
CBHW020036120526
44589CB00031B/167